'POBOL TU UCHA'R GIÂT'

'POBOL TU UCHA'R GIÂT'

Hanes hen deuluoedd Gwaun Cwm Brwynog a Chapel Hebron

ROL WILLIAMS

ISBN: 1-903314-06-2

Cyhoeddwyd ac argraffwyd yng Nghymru
Argraffwyd gan Wasg Pantycelyn, Caernarfon

Er cof am fy nhad a fy mam

ac am

Michael Pritchard
(Meic Rali)

Rol Williams

awdur

Bysus Bach y Wlad

Cerddi Tom y Garreg Fawr
(ar y cyd ag Eigra Lewis Roberts)

Heibio Hebron

Three Stops to the Summit

Carwn gydnabod barodrwydd amryw i adrodd hanesion a dwyn i gof ddigwyddiadau a oedd yn gysylltiedig â Chwm Brwynog, yn enwedig Robert Wynne Owen a theulu Ymwlch Ganol, Cricieth, Priscilla Williams, Dilys Mai Roberts a Huw Roberts, ac wrth gwrs y diweddar Michael Pritchard. Mae fy nyled yn anfesuradwy i Nan Parri am ddarparu'r deipysgrif mor gywrain a destlus cyn argraffu, i Wasg Pantycelyn am y diddordeb yn y llyfr ac i'r staff yno am sawl sgwrs a phaned o de. Diolch hefyd i Dafydd Morris, tirfeddiannwr rhan helaeth o'r Cwm, am ei barodrwydd cyson gyda'i 'Land Rover' i'm cludo i fyny'r gelltydd geirwon i Gwm Brwynog, ac i staff yr Archifdy yng Nghaernarfon am sawl cymwynas a chaniatâd i gyhoeddi rhai dogfennau. Hefyd i staff Adran Olygyddol y Cyngor Llyfrau am bob cynorthwy.

Diolch i Ken Jones, Twm Elias a John Roberts Williams am roi clust i'm gofynion, ac i deulu'r diweddar R. Bryn Williams am yr hawl i gynnwys ei gerdd i 'Waun Cwm Brwynog'.

Yn olaf, fy niolch gwresocaf i Gwmni Rheilffordd yr Wyddfa, Llanberis am ei haelioni yn noddi rhan o gost argraffu'r llyfr hwn.

Rol Williams

CYFLWYNIAD

Mae'n eithaf posib mai clywed fy nhad yn sôn mor gyson am rai o'i gyd-weithwyr yn Chwarel Dinorwig sy'n gyfrifol am fy hoffter o Waun Cwm Brwynog gan fod amryw o'r chwarelwyr hynny yn byw yn y Cwm, neu wedi bod yn byw yno ar un adeg. Ac yn sgil perfformiad hyfryd Hogia'r Wyddfa o gerdd R. Bryn Williams, mae'r Cwm yn dal yr un mor gyfareddol er treiglad y blynyddoedd.

Dros sawl blwyddyn rwyf wedi ymweld â'r Cwm, ond er gwaethaf serthni'r rhiwiau, boed hynny dros y Cefn Du o'r Waunfawr neu o Lanberis, nid yw ei 'ddi-ben-drawdod', ys dywed Syr Thomas Parry-Williams am fan arall, yn rhwystr i mi rhag drachtio'n bleserus ei lonyddwch a'i falchder o'r hyn a fu. Ydyn, mae'r hen gymeriadau yn dal i groesi'r fawnog a phrysurdeb yr aelwydydd yn dal i'm gogleisio – er nad oes yno bellach ond terfynau igam-ogam un adfail ar ôl y llall.

Ond rwy'n credu na ddylid anghofio'r hen gymdeithas glòs werinol Gymreig a ymlafniodd ar yr erwau didostur a brwynog dan gysgod yr Wyddfa, o doriad gwawr hyd y diwedydd, i gynnal y teulu. Beth amser yn ôl aed ati i hel pedair miliwn o bunnoedd i brynu rhan o'r Wyddfa. I mi, yn gam neu'n gymwys, y mae yr un mor bwysig i gofnodi hynt a helynt trigolion ei llethrau cyn dyfod 'yr encil chwith' y canodd y Prifardd R. Bryn Williams amdani.

Wrth i ni gamu i'r ganrif newydd, hawdd iawn fyddai i hanesion am gymdeithas unigryw Gwaun Cwm Brwynog a Chapel Hebron fynd i ddifancoll. O'm rhan fy hun, roedd yn rheidrwydd arnaf atal hynny, os yn bosib.

Rol Williams

POBOL TU UCHA'R GIÂT

'Do, bu yno brysurdeb unwaith . . .'
(Gwilym R. Tilsley)

O bosib fod amryw – er iddynt fwynhau cyflwyniad Hogia'r Wyddfa o gerdd y Prifardd R. Bryn Williams – yn anghyfarwydd â lleoliad Gwaun Cwm Brwynog, y cwm cyfareddol sy'n llochesu ar lethrau isaf yr Wyddfa.

Wedi dringo'r rhiw serth o Lanberis, fe ddeuir yn y man, wedi milltir go dda o gerdded, at waelodion y cwm. Ar y dde ceir mynyddoedd y Foel Gron a'r Foel Goch, ac o'ch blaen wrth edrych i gyfeiriad yr Wyddfa, mae Moel Cynghorion a Bwlch Maesgwm sydd yn arwain tros ysgwydd y mynydd o Gwm Brwynog i Ryd Ddu.

Ar y chwith mae'r Derlwyn ac yn y pellter y Llechog a buan iawn y sylweddolir fod y cwm yn gwm yr ucheldiroedd a'i ddoldiroedd isaf, o gwmpas chwe chan troedfedd uwchlaw'r môr ac yn codi i gyfeiriad Llyn Du'r Arddu draw wrth droed clogwyn mawreddog yr Arddu, bron i dair mil o droedfeddi o uchder. Mae'n eithaf teg dweud fod rhyw fath o atodiad yn y rhan isaf o'r waun. Yno mae'r tir yn ymledu i'r dde i gwm arall, sef Cwm Dwythwch a Llyn Dwythwch, y rhed cyflenwad dŵr i bentref Llanberis ohono. Mae rhai yn tybio mai 'Cwm Gwythwch' ddylai'r enw fod gan mai ystyr 'gwythwch' yw 'baedd gwyllt', a dywedir y byddai moch gwylltion yno yn yr hen amser; yn wir, ceir Afon Hwch, Bwlch y Moch a Chwm Moch gerllaw.

Yn y flwyddyn 1296 cofnodir fod amryw o feirdd wedi gwrthod gwahoddiad brenhinol Edward I i Eisteddfod Biwmares gan fod si ar led mai unig bwrpas y gwahoddiad oedd dwyn y beirdd i'r ddalfa a thorri eu pennau i ffwrdd am iddynt, yn nhyb y brenin a'i gyfeillion, gyfansoddi cerddi sarhaus amdano. Ciliodd y beirdd i fynyddoedd Eryri i guddio ac i ymgynghori yn y fan a adwaenir bellach fel 'Moel Cynghorion'.

O bosib, yn y dyddiau a fu, ac yn sicr felly heddiw, gweunydd corslyd a brwynog a geir yno, gyda thair afon yn rhedeg drwyddynt ar eu ffordd i Lyn Padarn. Y tair afon yw'r Arddu a'r Hwch sydd yn ymuno uwchben y Ceunant Mawr cyn rhedeg yn nerthol i'r llyn ger gorsaf Rheilffordd yr Wyddfa. O waelodion Moel Eilio y daw Afon Goch, gan naddu ei phererindod hithau i Lyn Padarn ger gwesty'r 'Heights', neu'r 'Grosvenor' i ni ers talwm.

Yn wir, daw dyfroedd y Ceunant Mawr o bedwar cwm ac o sylwi'n fanwl gellir gweld olion rhew mawr Oes yr Iâ, yn enwedig ar ddau ohonynt sy'n gymoedd crynion a llydan, gyda'u cefnau'n serth a'u gwaelodion ar ffurf soser, fel bod y dŵr yn cronni ynddynt ac yn ffurfio llynnoedd, sef Llyn Du'r Arddu a Llyn Cwm Dwythwch. Mae llai o olion naddu ar y ddau gwm arall er bod tir gwlyb ar waelod Cwm Brwynog, fel y mae'r enw'n awgrymu. Daw'r dŵr i lawr o Lyn Du'r Arddu, o Gwm Brwynog ac o'r Maesgwm i weundir gwastad agored Gwaun Cwm Brwynog. Naddwyd gan y rhewlif gafn hir gydag ochrau serth iddo. Heddiw llenwir gwaelod y cafn gan lyn hir Padarn/Peris.

Yn y blynyddoedd a fu, nid oedd neb yn byw yng Nghoed y Ddôl (yr hen enw ar bentref Llanberis). Yr oedd y trigolion yn byw yn y Nant Uchaf (Nant Peris) ac yng Ngwaun Cwm Brwynog, ac eraill ar lethrau Cwm Tŷ Du a'r Coed Mawr. Nid oedd y ffordd trwy Nant Peris a Bwlch Llanberis fel ag y mae heddiw, ond dringai heibio Esgeiriau at Gadair Ellyll a safle hen blasty Rhys ap Meredydd. Hawdd oedd croesi gweundir Cwm Brwynog i Fwlch Maesgwm os am fynd i Ryd Ddu a Beddgelert. Os am droi i gyfeiriad Llanrug a'r Waunfawr yr oedd angen anelu am yr Hafotai ac yna heibio'r Clegir neu Fwlch y Groes a'r Cefn Du.

Ar y chwith i'r Cwm mae Llwybr yr Wyddfa. Ers talwm arferai perchenogion gwestai'r ardal atgyweirio'r llwybr gan ei fod yn cael ei ddefnyddio gan ferlod a thywysion y gwestai hynny, ond fel y dywedodd William Williams, Bod y Gof, yr hanesydd lleol, am y newid syfrdanol a ddaeth i fodolaeth ar ddiwedd y ganrif ddiwethaf: 'erbyn hyn mae'r merlod wedi gorffen, ceffyl rhydlyd a'u mygodd' – cyfeiriad at ddyfodiad y trên i gopa'r mynydd.

Heddiw, cysglyd a hiraethus yw Gwaun Cwm Brwynog. Does neb yn byw yno bellach a'r unig rai a ddaw yno yw'r cannoedd o ymwelwyr yn yr haf ar eu ffordd i gopa'r Wyddfa neu tros y bwlch i Nant Gwyrfai. Yn wir, gellir teimlo'r 'hiraeth yn y mynydd maith ac yn y distawrwydd' a rhan helaeth o'r Waun mwyach yn frwyn a phabwyr diddiwedd. Hawdd dweud fod yr erwau o chwys bellach yn erwau o chwyn, a holl lafur tyddynwyr ddoe wedi rhuthro'n ôl i'r gwyllt.

Ond nid felly roedd hi yn y dyddiau gynt yng Ngwaun Cwm Brwynog. Amcangyfrifir fod poblogaeth y Cwm yn 1905 bron yn gant ac mae ystadegau'r capel lleol, Capel Hebron, yn cadarnhau hyn. Mae'n wir dweud nad oedd yno na siop nac ysgol, na mynwent na thafarn, na theleffon na thrydan, na stryd nac eglwys – ond yr oedd capel yno.

Does dim amheuaeth mai bodolaeth Capel Hebron fu'n gyfrwng i gadw'r teuluoedd rhag symud oddi yno yn y blynyddoedd euraid hyd at ddiwedd yr Ail Ryfel Byd. Gellir dweud fod holl drigolion Cwm Brwynog yn adnabod ei gilydd yn bur dda, yn cyd-boeni mewn trallod, yn cydlawenhau pan fyddai angen, a'r gymdeithas yn amlach na pheidio wedi lapio amdani'i hun yn glyd a chyfeillgar. Yn wir, nid oedd modd gweld yr un tŷ arall o'r cwm heblaw y ffermdai tua Mallwyd a Bwlch y Groes. Cymdeithas glòs, ddeheuig, uchel ei pharch a gwir Gymreig oedd y gymdeithas, a rhyw rith o berthynas rhwng amryw o'r teuluoedd.

Erbyn heddiw nid oes nemor ddim ar ôl ond adfeilion y pum tyddyn ar hugain, sydd bellach wedi hanner suddo i'r fawnog a'r brwyn, ac atgofion rhai o hynafgwyr y fro.

Yn y *Record of Carnarvon 1352* fe gofnodir fod nifer o anheddau yng Nghwm Brwynog yn gysylltiedig â Chastell Dolbadarn. Y gŵr a ddaeth â safle'r adeiladau hyn o'r Oesoedd Canol i sylw'r awdurdodau oedd Ken Jones o Lanberis, ac y mae CADW yn dra diolchgar iddo am hynny. Mewn adroddiad yn 1999 datgelodd

CADW fod saith adeilad wedi eu canfod yn rhan uchaf o Gwm Brwynog gan y Comisiwn Brenhinol yn 1960:

> . . . mewn dau grŵp ar wahân. Roedd y grŵp uchaf yn cynnwys pedwar cwt, a'r grŵp isaf dri chwt, wedi eu hadeiladu ar lwyfannau ar ochr orllewinol y dyffryn, rhwng dwy o lednentydd afon Arddu . . . Yn dilyn ymchwiliadau diweddarach, canfuwyd rhagor o olion adeiladau; dau ohonynt ychydig islaw'r rhai a gofnodwyd gan y Comisiwn . . .

Yn ôl Dr Kathryn Roberts o CADW:

> . . . this is one of the largest surviving medieval settlements, not only in Gwynedd, but in Wales.

Cwm 'heb na thân na heniaith' yno yw Cwm Brwynog erbyn hyn. Ond mae'n gilcyn o ddaear na ddylid caniatáu i fflamau ei hen goelcerthi losgi'n fud ac anghofiedig. Gellir mynd a dod i'r Cwm o sawl cyfeiriad, ond rhaid dringo a cherdded milltir a mwy wrth ddefnyddio pob un o'r llwybrau, un ai o Lanberis, neu o'r Waun-fawr tros y Cefn Du neu Rhyd Ddu tros Fwlch Maesgwm, neu hyd yn oed o Nant Gwynant tros lwybr serth Syr Edward Watkin i gopa'r Wyddfa ac yna i lawr i'r Cwm. Dyna a wnaeth Robert Williams, flynyddoedd yn ôl, wrth gerdded i Lanfrothen i wahodd Foulk Jones a'i frawd i ddod atynt i fyw i'r Tŷ Du yn Llanberis. Foulk, y gŵr cyhyrog a ddaeth yn bur enwog yn y fro yn y ddeunawfed ganrif fel gŵr o gryfder aruthrol – roedd y Foulk hwn yn un o hynafiaid yr awdur, ond nid yw hwnnw wedi etifeddu ei gryfder.

Daeth Foulk i fyw i'r Tŷ Du gyda'i frawd a phriododd ag Elisabeth Roberts yn eglwys Llanddeiniolen ar Ragfyr 12, 1737. Ni fu plant o'r briodas ac yn ôl William Williams, Bod y Gof eto, bu Foulk farw yn bedwar ugain oed ar Ragfyr 20, 1786. Fel y cyfeiriwyd roedd yn ŵr anghyffredin o gryf a dywedir y gallai gario pen trymaf coeden pan fyddai'n rhaid cael tri dyn i gario'r pen ysgafnaf. Ni châi drafferth o gwbl i godi heffer ar ei gefn pan fyddai angen ac mae stori fod gŵr o Ddinbych wedi ei herio i ymaflyd codwm ond, gyda'i afael cyntaf, taflodd Foulk y cyfaill tros y clawdd i gae cyfagos yn ddidrafferth.

Yn ddi-feth roedd crynswth gwŷr a meibion Cwm Brwynog yn gweithio yn chwareli'r fro, y rhan fwyaf yn Chwarel Dinorwig. Wrth ddringo'r allt serth i Benyceunant heddiw, pwy all ond edmygu'r gwŷr hynny yn cerdded yn ôl gartref fin nos ym mhob tywydd wedi diwrnod caled yn y chwarel, heb anghofio'r plant a gerddai'n ddyddiol i ysgol Dolbadarn. Yn ogystal yr oedd angen tywysu'r ceffyl a'r drol i lawr i Lanberis o leiaf unwaith yr wythnos i gyrchu bwyd i'r teulu ac i'r anifeiliaid ac i gario glo, er y byddai un neu ddau yn defnyddio mawn o'r corsydd yn danwydd. Fel y gellid disgwyl, mewn cwm mor ddiarffordd roedd y tywydd yn dylanwadu'n drwm ar fywyd y trigolion, ac yn wir yn ystod un gaeaf bu'r eira'n llyffethair am fis cyfan er mawr fwynhad i'r plant. Yn aml byddai mor hwyr â mis Medi ambell dymor cyn cael y gwair i'r ydlan gan fod y defaid wedi bod ar y borfa ymhell i'r gwanwyn.

Yr oedd y diwrnod gwaith yn hir i'r dynion gan yr arferent fynd o'r cartref yn gynnar a thaith oddeutu hanner awr o gerdded i'r chwarel, ac ychydig mwy i ddod yn ôl oherwydd y gelltydd geirwon. Arferai ambell un gerdded tros grib y graig i lawr i Esgeiriau, ar y ffordd i Nant Peris, ac yna groesi'r llyn gyda chwch i'r chwarel. Wedi dychwelyd i'w cartrefi fin nos, yr oedd yn ofynnol bwydo'r anifeiliaid ar ôl y swper chwarel traddodiadol. Yn ogystal yr oedd dyletswyddau tymhorol i'w cyflawni, tasgau fel plannu clwt o datws at ddefnydd y teulu, bugeilio'r defaid, codi bylchau yn y cloddiau, torri a chario'r gwair, gofynion adeg wyna, cneifio a thipio'r defaid, torri mawn, ac o reidrwydd cyn dyfodiad y gaeaf byddai angen hel rhedyn a brwyn i'w rhoi o dan y gwartheg yn y beudy. Mewn cwm mor hynod o agored, nid oedd modd anwybyddu'r angen cyson i atgyweirio'r adeiladau gan fod y gwynt a'r glaw, y rhew a'r eira, yn ymfalchïo wrth wneud cymaint o lanastr ag oedd bosib.

Yn ôl arbenigwyr, yr oedd gwair doldiroedd Cwm Brwynog yn anarferol o bur a meddal ac fe gydnabyddir hefyd fod cyflawnder o 'wair y rhosydd' a 'pheiswellt y defaid' yno. Nid syndod hynny gan fod y 'peiswellt' (*festuca ovina*), a'i ddail tenau crwn, yn wir yn eithaf cyffredin ar y mynydd-dir. Cyfeirir hefyd at 'frwyn du'r gors' (*black bog rush*) – brwynen nad yw mor gyffredin â'r brwyn arferol. Yno hefyd caed 'brwyn y mwswgl' neu'r 'frwynen droellgorun', i ddefnyddio'r enw mwyaf arferol arni. Roedd hon eto yn eithaf cyffredin ar y llethrau uchel ac yn tueddu i blygu a gwthio'r gweiriau i'r naill ochr ac o'r herwydd yn gwneud gwaith y pladurwr yn llawer mwy anodd gan iddi andwyo min ei bladur pan fyddai'n torri'r gwair.

Roedd gan rai o'r merched y ddawn i wneud pob math o feddyginiaethau at wahanol anhwylderau trwy ddefnyddio dail y llu o blanhigion a dyfai yn y cwm. Un o'r merched hynny oedd Catherine Roberts, Cae Newydd, a mynych y galwai rhywun yno am feddyginiaeth rad ac effeithiol at ryw anhwylder neu'i gilydd. Cofiai ei disgynyddion fel y byddai'n hel clwstwr o flodau melyn y 'Wialen Aur' (*Golden Rod*) a'u berwi mewn llefrith i buro'r gwaed. Meddyginiaeth arall oedd berwi dail 'Ffa'r Corsydd' (*Bog Bean*) a dyfai mewn ambell bwll, ac yn ôl y sôn roedd yr hylif yn ddiguro at ddolur gwddw.

Gan fod y Waun mor agored, ychydig iawn o goed a geir yno; yn wir, nid oedd Michael Pritchard, hynafgwr a fagwyd yn y cwm, yn cofio gweld yr un goeden yn tyfu ar y tir rhwng ei gartref yn y Rali a'r Helfa Fawr, er bod gwinllan fechan yn y fan honno. Tai o gerrig oedd y tyddynnod, gyda muriau solet trwchus yn glyd rhag stormydd a sŵn y gwynt, a gwres o'r tŷ yn tarddu trwodd i'r beudy ac o chwith, o bosib, gan fod y beudai ynghlwm wrth y tai. Mewn amryw o'r tai unllawr hyn yr oedd 'taflod', ac yn y fan honno y byddai'r plant yn cysgu.

Un o bleserau'r gwŷr a'r bechgyn fyddai pysgota'r afon neu fynd draw i Lyn Dwythwch ond byddai'n ofynnol 'cadw llygaid barcud' am gipar y Faenol, oherwydd os digwyddai hwnnw ddal chwarelwr yn pysgota heb ganiatâd y Stad, byddai cryn berygl iddo golli ei waith yn y chwarel fel cosb am y camwedd.

Soniodd rhai o gyn-drigolion y Cwm wrthyf fel y byddai rhai'n gwneud 'cannwyll frwyn' ac nid syndod hynny o gofio fod cymaint o ddeunydd crai o'u cwmpas. Arferid hel digon o frwyn yn ystod yr haf a'u rhoi mewn dŵr er mwyn eu gwneud yn hawdd eu trin. Ymhen sbel tynnid y croen ymaith a'i sychu cyn mynd ati i

Yr Wyddfa o Benllyn (nodir lleoliad Gwaun Cwm Brwynog gyda ●).

Gwaun Cwm Brwynog o dir Hafod Lydan, yr Wyddfa yn y pellter, Moel Cynghorion ar y dde a Chapel Hebron ar y chwith.

Adfeilion Ty Du.

Edrych i lawr o ffordd Hafoty ar adfeilion Nant Ddu, yr afon Arddu a gweirgloddiau
yr Helfa Fawr a'r Helfa Fain. Yn y pellter, ar ysgwydd y mynydd, mae'r llwybr tros
Bwlch Maesgwm i Rhyd Ddu, llwybr Deio Cwm Brwynog gynt.

Adwy'r Nant – ger Capel Hebron.

Bryn Coch a Chapel Hebron islaw.

Ty'n yr Ardd fel ag yr oedd gyda Mair Griffith (nee Roberts) yn sefyll yn y drws.

Cegin Llwyn Celyn.

Llwyn Celyn.

Cae-Esgob.

Yr unig rês o dai yn y cwm . . . Tai Cwm Brwynog ar gyrion Coed Victoria.

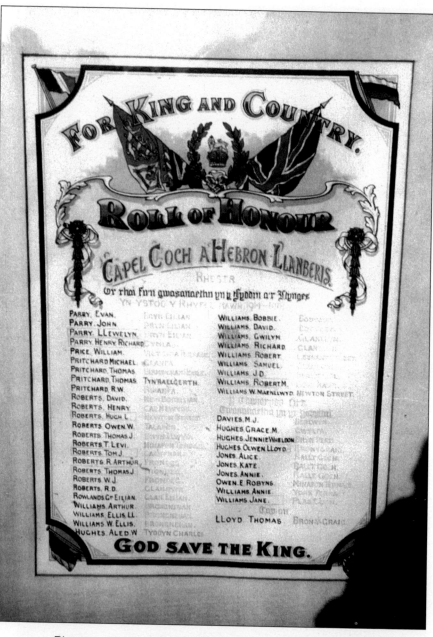

Rhestr o aelodau y Capel Coch a Hebron fu'n gwasanaethu
yn Rhyfel 1914-1918.

gymysgu potaid o saim a chŵyr gwenyn. Yna rhoddid y frwynen yn y saim poeth ac wedi i'r gymysgedd sychu byddent yn goleuo'r frwynen. Byddai'r golau'n dibynnu ar hyd y frwynen ond yn gyffredinol rhyw awr o oleuni a gaed.

Hyd at yr Ail Ryfel Byd yr oedd teuluoedd ym mhob un o'r mân dyddynnod, a Chapel Hebron, neu Ysgoldy'r Waun fel y'i gelwid ar adegau, yn ganolbwynt holl fywyd crefyddol, cymdeithasol a diwylliannol y gymuned. Tenantiaid Stad y Faenol oedd deiliaid y mân dyddynnod, ac o gofio fod bron bob gŵr yn gweithio yn chwarel Dinorwig, oedd hefyd yn eiddo y Stad, yr oedd rhyw elfen o barchedig ofn yn bodoli tuag at y tirfeddiannwr.

Nid oedd trydan ar gael i oleuo na chynhesu'r tai – yn wir, dibynnu ar lamp olew a wnaed i gwblhau dyletswyddau'r cartref, boed hynny i fwydo'r anifeiliaid neu ddilyn y llwybrau ar draws y corsydd i wahanol gyfarfodydd y capel fin nos. Pan fyddai rhywun yn wael, dôi'r gofal cymdeithasol i'r amlwg gan nad oedd y fath beth â theleffon ar gael. Byddai gwirfoddolwyr yn barod i gerdded i'r feddygfa yn Llanberis i 'mofyn y meddyg neu i gyrchu moddion, hyd yn oed yn ystod oriau mân y bore. Ac o sôn am y cysylltiadau â Stad y Faenol, cwynodd un o'r tyddynwyr wrth yr asiant unwaith fod 'mwg taro' mor ddrwg yn y simdde nes amharu ar iechyd y plant. Daeth yr asiant yno i archwilio'r gŵyn gan ofyn yn eithaf sarrug yn ei ddull arferol a oedd rhywle yn y tŷ heb fod mwg yno.

'Oes,' atebodd y tyddynnwr.

'Wel, pam nad ewch chi i'r fan honno i fyw?' meddai'r asiant.

'Be sydd arnoch chi, ddyn? Pwy gythraul sydd isio byw yn y simdda?' meddai gŵr y tŷ yn ôl wrtho.

Yn ystod ugeiniau cynnar y bedwaredd ganrif ar bymtheg, arferai tri brawd hynod o nerthol fyw tros y mynydd ar fferm Clogwyn y Gwin, Rhyd Ddu. Roeddynt yn creu arswyd ac ofn ar bawb yn y gymdogaeth, y nhw a'u chwaer oedd fel ei brodyr yn gryf a thros chwe throedfedd o daldra. Adwaenid y brodyr fel 'Hen Lanciau Clogwyn y Gwin'.

Ymddengys fod llanc o'r Cwm o'r enw Deio wedi syrthio mewn cariad â morwyn Clogwyn y Gwin ac yn gyson ddefnyddio'r llwybr tros Fwlch Maesgwm i fynd i'w chyfarfod. Nid oedd y Llanciau'n gefnogol i'r garwriaeth, a phan gawsant wybod fod Deio'n tramwyo'r llwybr unig cuddiasant yn y creigiau un noson. Pan ddaeth Deio heibio rhoddwyd curfa enbyd i'r creadur, yna fe roddwyd rhaff amdano a'i lusgo drwy'r afon a redai i Lyn Cwellyn. Yn wir, bu bron â boddi a rhybuddiwyd ef nad oedd i ymweld â'r forwyn byth wedyn.

Llwyddodd Deio i gerdded yn ôl i'w gartref yn y Cwm yn wlyb ac oer, a bu'n wael yn ei wely am ddyddiau. Ond ni phallodd ei gariad at y forwyn na'i awydd i dalu'r pwyth yn ôl i 'Hen Lanciau Clogwyn y Gwin'.

Un Sul, ar ôl iddo wella, aeth dros y Bwlch unwaith yn rhagor gan sefyll ar graig uwchben y fferm a gweiddi'n herfeiddiol:

> Yr hogia mawr diog,
> Mae Deio Cwm Brwynog
> Yn gofyn am gyflog
> Yn gefnog ar gân,
> Dowch allan, lebanod,
> I odro eich gafrod,
> Chwiorydd cam bychod, Cwm Bychan.

Pan glywodd y llanciau hyn daethant allan a chamu ar ôl Deio, ond yr oedd yn llawer rhy sionc iddynt, a chyrhaeddodd yn ôl yn saff i'w gartref.

Fel y soniwyd, byddai'n ofynnol mynd i Lanberis i gyrchu nwyddau i'r teulu a'r anifeiliaid, a hynny yn amlach na pheidio ar y nos Wener ar ôl derbyn y cyflog o'r chwarel. Wedi'r siopa byddai teuluoedd Cwm Brwynog yn ymgasglu ger tai'r Byng ar ddechrau llwybr yr Wyddfa. Pan fyddai pawb wedi cyrraedd yno, dech-reuai'r fintai gerdded am adref, a chof gan ambell un o weld gwraig y Foty efo dwy fasged wiail, un ym mhob llaw yn llawn i'r ymylon. Yn ystod misoedd y gaeaf rhoddid caniatâd i blant y cwm adael yr ysgol yn Llanberis o flaen y gweddill er mwyn iddynt gyrraedd adref cyn tywyllu. Yn ôl Michael Pritchard, yr enw a roddid ar drigolion Cwm Brwynog gan bobl Llanberis oedd 'Pobl tu ucha'r giât' – tu ucha i giât y mynydd, mae'n debyg.

Ar ddiwrnod tesog un prynhawn ym mis Gorffennaf eisteddais

yn nhawelwch un o'r hen furddunnod, y pedair wal yn sefyll yn fygythiol, dim llwchyn o dân yn y grât, a'r brwyn a'r chwyn yn ymladd yn herfeiddiol ble'r arferai'r bwrdd bwyd groesawu'r teulu. Am ryw reswm anesboniadwy, bloeddiais eiriau y gwyddwn yn iawn nas clywyd erioed rhwng muriau'r aelwyd honno – geiriau cyfoes blynyddoedd olaf y ganrif ddiwethaf '... Internet ... Sky B ... beiro ... Cantona ... strategaeth' ... ond doedd neb yn malio dim!

> Mae'r hen fythynnod erbyn hyn
> Heb delyn a heb deulu,
> Yn brudd adfeilion yn y Cwm,
> Yn llwm eu gwedd yn llechu:
> Nid ŷnt ond nythle adar gwyllt
> A lloches myllt y mynydd,
> A griddfan geir yn sŵn y gwynt
> Lle gynt y bu llawenydd.

(T. H. Williams, y Waunfawr, allan o *Cerddi Eryri*)

FFERMDAI, TYDDYNNOD A THRIGOLION GWAUN CWM BRWYNOG

Stad y Faenol ger y Felinheli oedd biau'r rhan helaethaf o dyddynnod Cwm Brwynog gyda 'hawl pori' i nifer penodedig o ddefaid ar y mynyddoedd – 'hawl cynefin', fel y'i gelwir. Ar un cyfnod roedd gan ddeiliaid Hafod Uchaf yr hawl i bori hanner cant o ddefaid ar Foel Eilio, a ffermwr Hafod Lydan yr hawl i bori cant a hanner, ond ar adegau byddai ambell un yn pori mwy o ddefaid na'i haeddiant ar y mynydd ac unwaith neu ddwy bu hyn yn esgor ar andros o ffrae a theimladau drwg rhwng cymdogion a'i gilydd fel y croniclir yn nes ymlaen.

Yr oedd, fel y nodwyd, o gwmpas pum tyddyn ar hugain yn y Cwm gan gynnwys 'tai moel' yn ogystal. Caed anifeiliaid ym mhob un o'r tyddynnod, bron, a'r ffermydd megis Hafoty Newydd (Y Foty), Helfa Fawr, Helfa Fain, Tynyraelgarth (Rali), Brithdir, Cae Newydd, Bryn Coch, Adwy'r Waun, Nant Ddu, Hafod Uchaf, Hafod Lydan, Penyceunant, Manllwyd, Cae Esgob, Llwyn Celyn, Tŷ Mawn, Mur Mawr, Cae'r Frân a Hafod Bach. Mae'n wir mai ar gyrion y Cwm yr oedd rhai o'r tyddynnod, ond yr oedd cysylltiad agos â'r cwm gan fod y deiliaid bron yn ddi-feth yn aelodau yng nghapel Hebron, Gwaun Cwm Brwynog.

Saif adfeilion Cwm Uchaf, fel y mae ei enw yn ei awgrymu, yn uchel ar lethrau Bwlch y Groes ac erwau geirwon y tyddyn yn ymestyn hyd at gesail Moel Eilio. Yno y trigai Harri Griffith a'i deulu. Gweithiai yn chwarel Glyn Rhonwy ac roedd yn aelod selog iawn yn y Capel Coch. I'r rhai sydd yn gyfarwydd â lleoliad Cwm Uchaf, ni ellir ond edmygu teyrngarwch Harri Griffith i'w gapel, o sylweddoli'r llwybr serth a digysgod o'i gartref i lawr i'r pentref.

Ond ni fu hyn yn rhwystr i Harri Griffith fynychu'r Seiat yn rheolaidd ar noson waith, ac oedfaon y Sul ym mhob tywydd. O dro i dro gofynnid iddo roi'r emyn olaf allan yn y Seiat i derfynu'r oedfa, a'r un emyn fyddai Harri Griffith yn ei roi bob tro . . . 'Pa feddwl, pa 'madrodd, pa ddawn' ac yn ei frys, fel y digwyddai ambell dro, byddai wedi anghofio dod â'i sbectol. Bryd hynny, er ei fod wedi ledio'r emyn sawl tro o'r blaen, byddai ei gof yn pallu, ac er mawr ddifyrrwch i'r plant fel hyn y byddai Harri Griffith yn ledio'r emyn:

Pa feddwl, pa 'madrodd, pa ddawn
Da ra dara ra da ra,
Pa dafod all osod i maes
Da ra darara da ra.

Cydnabyddid fod Harri Griffith yn 'ffariar gwlad' heb ei ail a mynych ei wasanaeth i gymdogion a deiliaid Cwm Brwynog pan fyddai trafferthion ar y tyddyn – pan fyddai buwch yn bwrw llo neu drafferthion adeg geni ŵyn – a mynych hefyd ei angen i 'halltu mochyn'. Heddiw mae adfeilion Cwm Uchaf, gan gynnwys yr hen olwyn ddŵr, yn gwegian yn hiraethus yn nannedd y ddrycin a gwên yr heulwen.

Ynghanol y ddeunawfed ganrif, daeth un John Wheldon o Gernyw i weithio yng ngwaith copr Nant Peris, ac ar Hydref 21, 1768 fe briododd â merch o'r fro sef Lowri Pyrs, merch Pyrs Williams, un o gymwynaswyr cyntaf yr achos Methodistaidd yn yr ardal. Ganwyd mab iddynt, sef Pyrs John Wheldon, a briododd yn y man gydag Elinor Ffowc, merch Grâs Williams o'r Coed Mawr. Yr oedd Grâs Williams yn arfer cerdded tros y mynydd i Ddrws y Coed, Dyffryn Nantlle, i'r seiat a gynhelid mewn hen feudy. Roedd ei merch Elinor hefyd yn wraig grefyddol ac yn briod â Pyrs Wheldon, fel y nodwyd. Bu'r ddau yn byw am gyfnod yng ngwesty Dolbadarn ac yno y ganwyd eu mab John, neu Siôn Wheldon, fel y'i gelwid gan bawb yn y fro.

Yn nhreiglad y blynyddoedd priododd Siôn Wheldon â Mary Jones, merch Cae Esgob, a chadwodd ei henw morwynol fel yr oedd amryw yn ei wneud yn y cyfnod hwnnw. Brawd iddi oedd

Griffith Jones a ddaeth ymhen amser yn flaenor cyntaf Capel Hebron. Fe anwyd dau fab o'r briodas, sef Thomas John a Pierce (Pyrs) Wheldon. Yn ôl pob sôn yr oedd Mary yn wraig hynod o grefyddol ac arferai gerdded tros Fwlch y Groes i Gaernarfon gan adael ei dau fab ifanc gartref 'i gysgu'n dawel yng ngofal yr Arglwydd'. Mary hefyd oedd awdur yr emyn a ganwyd ar ddydd ei hangladd, sef:

> Fe dderfydd dyfroedd Mara,
> Fe dderfydd cario'r groes.

Yng Nghae Esgob yr oedd y weddi deuluaidd yn weithred ddyddiol, ac ni chaniatawyd i unrhyw brysurdeb bydol fel cneifio'r defaid neu gario'r gwair darfu ar hyn. Yn wir, yr oedd 'cadw dyletswydd' fore a nos yn ddefosiwn diysgog. Ar y dechrau, nid oedd y tad, John Wheldon, yn ŵr crefyddol fel ei briod Mary, ond yn nhreiglad amser a than ddylanwad ei briod dechreuodd yntau ymddiddori. Yn wir, cafodd rhyw fath o dröedigaeth ac etholwyd ef yn flaenor yn y Capel Coch; oherwydd ei allu cerddorol roedd yn arweinydd y gân yno yn ogystal. Yn sgil ei ddiddordeb cerddorol yr oedd yn edmygydd mawr o'i weinidog, y Parchedig John Roberts (Ieuan Gwyllt) a chanai ei emynau ef, yn ôl y sôn, ar draul emynau cyfansoddwyr eraill yn y gwahanol gyfarfodydd. Yn gynnar iawn daeth y ddau fab, Thomas John a Pyrs, yn wŷr amlwg iawn yn y gymdeithas. Aeth Thomas John i'r Weinidogaeth ac etholwyd ei frawd yn Ynad Heddwch ac yn flaenor yn eglwys Seion, Caerfyrddin.

Bu Thomas John yn weinidog ym Mlaenau Ffestiniog, y Drenewydd a Bangor gan ddiweddu ei oes yn y Rhyl, gan alw ei dŷ yno yn 'Llwyn Celyn'. Ar hyd ei oes bu'n eiddgar iawn tros addysg, fel eraill o'r teulu a'i dilynodd. Un o Wrecsam oedd ei briod a bu pump o blant o'r briodas. Un o'r plant oedd Wynn Powell Wheldon a ddaeth yn ŵr amlwg iawn yn genedlaethol ac a ddyrchafwyd yn Farchog fel cydnabyddiaeth o'i gyfraniad sylweddol i fyd addysg yng Nghymru. Yn aml y clywais fy nhad yn sôn am Syr Wynn Wheldon gan mai ef oedd swyddog ei gatrawd o'r Ffiwsilwyr Cymreig yn y Rhyfel Byd Cyntaf. Bu farw y Parchedig Thomas John Wheldon yn 1916 a'i gladdu ym medrodd y teulu ym mynwent Nant Peris. Yno hefyd y ceir manylion am Syr Wynn a Syr Huw Wheldon, a fu yn un o benaethiaid y BBC yn Llundain.

Erbyn heddiw mae'r hen gartref yn furddun, a hostel fodern eang o'r enw Llwyn Celyn wedi ei hadeiladu gerllaw, ond ni ŵyr y miloedd o breswylwyr a ddaw yno yn flynyddol ddim am orffennol clodwiw Llwyn Celyn, a fu'n gartref i addolwyr y fro cyn adeiladu'r Capel Coch ym mlwyddyn y tair caib, sef 1777.

Gŵr arall a fu'n arwain yn Llwyn Celyn oedd Siôn William, Bryn Coch, a symudodd i gapel Hebron pan sefydlwyd yr achos yno a chawn gyfeirio at ei gyfraniad amhrisiadwy ef yn y man. Dywed William Hobley mai yn ystod y tymor addoli hwn yn Llwyn Celyn y bu'r Cyfarfod Misol cyntaf erioed ac i Siarl Marc o Lŷn, gyda Thomas Evans o'r Waunfawr, 'lefaru yno'. Yn sicr yr oedd adeiladau'r Capel Coch, a gafodd ei enw oddi wrth Afon Goch gerllaw, yn ddigwyddiad o bwys yn yr ardal gan i'r achos fod yn foddion i eglwysi eraill ddod i fodolaeth yn y man wrth i amryw ymadael a ffurfio eglwysi newydd yn Llanberis, er enghraifft Hebron yn 1833, Clegir yn 1860, Gorffwysfa yn 1867 a Phreswylfa yn 1882.

Erbyn heddiw, ysywaeth, ni chynhelir gwasanaethau ym mhedwar o'r pum addoldy yma, ac mae amryw ohonynt wedi eu dymchwel. Yn nhreiglad amser, unwaith yn rhagor, mae hanes yn ei ailadrodd ei hun, a'r Capel Coch eto yw unig fan addoli y Methodistiaid Calfinaidd yn Llanberis.

Er mai ar gyrion Gwaun Cwm Brwynog y bu Llwyn Celyn, yr oedd cysylltiadau agos rhwng deiliaid y tyddyn a'r cwm, ac yn sicr gyda Chapel Hebron, a byddai'n anfaddeuol anwybyddu'r cysyllt-iadau hynny. Am gyfnod bu John Wheldon a'i briod Lowri Pyrs yn byw yn Tŷ Mawn, tyddyn arall ar erchwyn y cwm. Ymhen amser dilynwyd y Wheldoniaid yno gan chwaer John Wheldon a'i phriod Evan Jones, gŵr o ardal Rhostryfan, a'r farn gyffredinol yn y fro oedd fod Evan Jones 'yn ddarllenwr mawr ac yn gryn awdurdod ar seryddiaeth'.

Yn ystod yr 1940au a'r 1950au, mynych iawn y clywais fy nhad a weithiai yn Chwarel Dinorwig yn sôn am ei gyd-weithwyr, yn eu mysg un Harry Roberts, Tŷ Mawn. Mab Cae Newydd oedd ef, ac yn ôl yr arferiad bu'n gweithio yn y chwarel nes cyrraedd ei ddeg a thrigain oed. Yn ogystal, fel amryw yn y fro, roedd Harry Roberts yn ddyddynnwr ac yn chwarelwr ac ar dir Tŷ Mawn arferid cadw dwy neu dair o wartheg, llo neu ddau, a dau fochyn at ddefnydd y teulu tros y gaeaf. Yr oedd cynefin y defaid ar lethrau serth mynydd yr Aelgarth.

O erwau Tŷ Mawn mae ponciau'r chwarel i'w gweld yn eithaf clir, ac yn ystod tymor cario'r gwair un o dasgau hynod foreol Harry Roberts oedd codi gyda'r wawr i dorri'r gwair gyda phladur cyn cerdded i'r chwarel toc wedi chwech. Trannoeth, os byddai peth ansicrwydd a fyddai'r gwair yn barod i'w gario i'r ydlan, yr oedd wedi trefnu gyda'i briod iddi roi cynfas wen ar y lein ddillad ychydig funudau cyn hanner dydd i ddynodi fod y gwair wedi sychu ac yn barod i'w gario. O weld yr arwydd, deuai Harry adref o'r chwarel.

Y ferlen, o bosib, oedd yr anifail mwyaf angenrheidiol ar ddyddynnod y Waun a chedwid un ar bob tyddyn bron. Oherwydd prinder tir pori yn Tŷ Mawn cerddai tad Harry Roberts rai o'r gwartheg o'r tyddyn i ardal Clynnog a Phontllyfni i bori yno tros fisoedd y gaeaf. Yr oedd diwrnod cneifio'n ddigwyddiad cymdeithasol a chaed cydweithrediad parod holl dyddynwyr yr ardal; yn wir, deuai ambell un tros y mynydd o Fetws Garmon i roi help llaw yng nghorlan Tŷ Mawn.

Ffair Nant Peris, neu ffair Nant Ucha i rai, fyddai uchafbwynt y flwyddyn a llawer o dynnu coes a chymharu'r prisiau a gaed yno yng nghaban y chwarel trannoeth, ac wrth gwrs roedd yn ddiwrnod o wyliau i blant yr ysgolion lleol. Aeth un o wŷr anhysbys Nant Peris ati yn 1911 i gofnodi ar gân rialtwch y ffair, a dyma rai o'r penillion:

> Daeth bore'r ffair, O! Fore mawr
> Pwysicaf yn y flwyddyn,
> Daw pawb o'i wely gyda'r wawr,
> Croesawu'r ffair yw'r testun.

Mae lleisiau creadigaeth Nant
Am oreu yn creu cyffro,
Brefiadau'r myllt a thrwst y cŵn
A gadwant bawb yn effro.

'R ôl chwys a llafur, lludded mawr,
Mae'r defaid dewisedig
Yn gryno yng nghorlannau'r ffair,
Pob gyr yn wahanedig.

Uwchben ei yr, ei pherchen saif,
Yn urddas y pendefig,
A chanmol wna, ma'i yr fach ef
Yw'r oreu'n gyfleuedig.

'R ôl dadleu'n boeth, daw llaw dau ddyn
I wasgu sêl y pryniant,
Mae'n hanner dydd a'r defaid oll
O'u celloedd a ollyngant.

Daw'r nos i'w dal, goleuir hi
Gan lampau chwyrn, crogedig,
Ac yn eu gwawl mae'r 'Indian rock'
Fel meini caboledig.

'O! pull away' mae 'Prize' bob tro
'O! pull away' chwi hogiau,
Mae merched Nant a Choed y Ddôl
Yn disgwyl llond ei breichiau.

Ffarwél hen ffair, dy ddyddiau fo
Heb rif, yn llawn anrhydedd,
Yn deilchion boed yr Wyddfa fawr
Pan gwrddi di â'th ddiwedd.

Cofnodwyd y penillion uchod gan y diweddar Gwilym Roberts, Fron Oleu, Llanberis. Ni wireddwyd dymuniad y bardd, fodd bynnag, gan fod yr Wyddfa ymhell o fod yn deilchion! Yn is i lawr y ffordd o Gwm Uchaf ac ar ochr y ffordd tros Fwlch y Groes mae Manllwyd Isaf a Manllwyd Uchaf, er mai dim ond ychydig o gerrig adfail sydd yn aros. Hyd at ychydig flynyddoedd yn ôl yr oedd rhan weddol o Fanllwyd Isaf yn sefyll, ond yn nhreiglad amser mae'r tywydd a fandaliaeth wedi ei falurio'n arw.

Cefais f'atgoffa gan un o'r ardal am ddigwyddiad anffodus i deulu wrth ymfudo o Fanllwyd – aeth y lorri yn llawn dodrefn i'r ffos gan falu hen lestri'r teulu yn deilchion! Yn is i lawr y ffordd gul i Lanberis ceir ffermdy nobl Cae'r Frân. Heddiw mae erwau'r fferm ynghlwm â fferm Plas Tirion, Llanrug ac ar y llechweddi fe fegir gwartheg a channoedd o ddefaid, gyda hawl pori yn ogystal ar y tir uchel o gwmpas.

Ar un cyfnod William Roberts oedd enw'r deiliad ac, yn dymhorol, arferai hen drempyn o'r enw William Hughes ymweld â ffermydd Cwm Brwynog. Dywedir ei fod wedi ei gymhwyso'n fferyllydd ond syrthiodd i grafangau'r ddiod. Ei arferiad oedd gweithio am ei gynhaliaeth a chael yn sgil hynny noson neu ddwy o loches mewn sgubor neu lofft stabal. Cofiai Michael Pritchard weld y cymeriad hwn yn galw ym muarth Cae'r Frân un nos Sadwrn:

'Giaffar,' meddai wrth William Roberts. 'Giaffar, mi'r oeddwn i yn lle a'r lle yr wythnos dwytha a hwn a hwn yn gofyn amdanoch chi, a finna'n dweud fy mod yn bwriadu galw i'ch gweld chi yr wsnos yma giaffar.'

Dyna fyddai stori barod yr hen frawd ymhob man ac yn ddi-feth byddai'n dderbyniol gan y ffermwyr. Wedi rhagor o holi a stilio, cynigiai William Roberts loches iddo dros y penwythnos. Dro arall, ar ymweliad â Chae'r Frân, gofynnodd William Roberts i'r hen frawd fynd ati i godi rwdins o'r cae, fel ad-daliad o'r lletygarwch a gafodd.

'Popeth yn iawn giaffar, oes gynnoch chi gyllell?'

'Oes, mi a' i i nôl un i chdi rŵan,' meddai William Roberts wrtho gan gerdded am y 'sgubor.

Ond pan ddaeth yn ôl, nid oedd na lliw na llun o'r hen frawd, dim ond gweddillion un rwdan ar y llawr! Gwenu wnaeth William Roberts gan ysgwyd ei ben a sylweddoli y dôi yr hen drempyn i Gae'r Frân eto rywdro am lety a bwyd ac, o ddilyn y drefn arferol, fe gâi faddeuant, mae'n siŵr.

O gerdded i fyny'r Ceunant yn Llanberis, heibio Llwyn Celyn a'ch golygon tua'r Aelgarth, fe ddowch yn y man at fferm Hafod Lydan, un o'r ychydig ffermydd llawn-amser yn y cylch. Yn wir, teulu presennol yr Hafod hwn ynghyd ag un teulu arall yw'r unig ddau deulu sydd bellach yn amaethu erwau Cwm Brwynog. Bu am gyfnod yn eiddo Syr Watkin Williams Wynn, Stad Wynnstay ac yn fferm o faint gweddol. Wedi hynny daeth yn eiddo i Stad y Faenol. Ond yn 1836 fe'i rhannwyd yn dair rhan yn ôl dymuniad y deiliad bryd hynny, sef gŵr o'r enw Hugh Owen, a deimlai fod ei feibion yn ddigon profiadol i gael eu tyddynnod eu hunain.

Aeth Tomos i ffermio Hafod Uchaf, ac Owen i amaethu Tŷ Newydd, ac aros gartref yn Hafod Lydan a wnaeth y ddau fab arall, Dafydd a Hugh Owen. Am flynyddoedd bu'r teulu'n golofnau'r achos yn y Capel Coch, lle'r etholwyd Hugh Owen yn ddiacon. Dywedir ei fod yn ŵr difrifol a dwys, a phob prynhawn Mawrth, diwrnod y Seiat yn y Capel Coch, yr oedd defod ddigyfnewid ar aelwyd Hafod Lydan. Y pnawn hwnnw rhaid oedd cael te am bedwar o'r gloch er mwyn i Hugh Owen gael amser i'w baratoi ei hun ar gyfer y seiat. Gwelir isod ddarn o lythyr a anfonwyd yn 1899 i un William Rowlands, Victoria Villa, Llanberis sydd yn cofnodi rhai o hanesion y fro, ac yn cyfeirio'n benodol at Hafod Lydan.

> . . . The first of the family on record to live at Havod Lydan is one Owen Hughes. He paid the rent for the year 1720 to the Vaynol estate. He has a record of one son that followed him on the farm at Havod in the parish of Llanberis. His name was Hugh Owen and was baptised in Peris Church on March 1, 1755. He had a number of children but no record of them is available. This Hugh Owen died on September 26th 1840 at 85 years old and left five children and one boy drowned in infancy in Lake Cwm Brwynog.

Yn y cyfnod presennol, yn sgil arwerthiant Stad y Faenol yn 1968 daeth Hafod Lydan, fel gweddill ffermydd a thyddynnod Gwaun Cwm Brwynog, yn eiddo unigolion o'r diwedd.

Heb fod ymhell o Hafod Lydan mae Hafod Bach ac yno ar un adeg fe drigai gwraig grefyddol iawn o'r enw Mari Tomos. Un o'i phrif weithgareddau fyddai casglu mawn o gorsydd Cwm Dwythwch a'i gludo mewn cawell ar ei chefn. Yn gyson fe gariai Mari Tomos y gawell tros Fwlch y Groes i Gaernarfon ac yno câi ychydig o arian am y mawn yn y Clwt Mawn (Turf Square).

Yn ôl pob sôn tueddai Mari i golli arni'i hun ar adegau a'r pryd hynny yn unigeddau'r cwm gorfoleddai gan floeddio nes bod y creigiau o'i chwmpas yn atsain i'w theimladau. Yn wir, dywedir i ŵr dieithr ddod heibio yn ddiarwybod iddi a sylwi arni'n gweiddi'n gynhyrfus gan guro ei thraed wrth ofyn yr un cwestiwn drosodd a throsodd . . . 'Beth sydd iddyn nhw? . . . Beth sydd iddyn nhw?' Ac yn cynnig ei hatebion ei hun.

Ym mynwent Nant Peris ceir beddrod teulu John a Mary Griffith, Hafod Bach. Bu'r ddau farw yn 1832 yn 75 oed wedi profedigaethau lu. Bu naw o'u plant farw rhwng 1783 a 1830, yr hynaf yn dair oed a'r ieuengaf ond yn wyth mis, a mab arall yn ddeugain oed.

Y mae un hafod arall sef Hafod Uchaf, sydd bellach yn dŷ sylweddol.

YM MHELLFAOEDD Y CWM

Wedi tramwyo erwau'r tyddynnod ar gyrion Gwaun Cwm Brwynog, fe gyfeiriwn ein camau i bellafoedd y Cwm, i fuarth Hafoty Newydd – neu'r Foty i bawb ar lafar gwlad. Hon o bosib oedd y fferm fwyaf o ran ei maint a nifer yr anifeiliaid yn y Waun. Ar un cyfnod, corlan y Foty oedd y gorlan fwyaf niferus ym mhlwyf Llanberis gyda thros fil o ddefaid ynddi. Cyn adeiladu Capel Hebron, arferid cynnal gwasanaethau ar aelwyd y Foty, ac yn ei atgofion mae Evan Owen, y Waunfawr, yn nodi iddo glywed un Rolant Abram ac eraill yn pregethu yno. Cyfeiria hefyd at y tywydd garw a gaed yn y Cwm, ac am un digwyddiad hynod:

> Cofio'n dda am un tro lled rhyfedd. Ar dywydd mawr aethum i a hen wr y Foty i chwilio am ddefaid o dan yr eira. Yr oedd pob pant a chysgod wedi ei lenwi â lluwchfeydd, a minnau yn gweiddi os byddai'r lluwchfeydd dorri na welai neb byth mohono. A chyda hynny dyna hi yn torri gan ei ollwng o'r golwg. Wel nis gwyddwn beth i'w wneud ond ar hwn gwelwn flaen ei bastwn a chefais afael arno, a dyma yr hen wr, oedd dros ei 70 oed, yn gweiddi . . . 'Dal dy afael Evan Owen' a minnau yn tynnu ac wedi hir dynnu cefais afael yn ei law ac i'r lan ag ef . . .

Teulu'r Oweniaid fu'n ffermio'r Foty am flynyddoedd ac roeddynt yn ffermwyr adnabyddus iawn yn y gymdogaeth a thu hwnt. Ymddengys mai 'Jones' oedd cyfenw'r teulu yn wreiddiol o deulu'r Helfa Fain gerllaw. Arferiad y cyfnod oedd i'r mab arddel enw cyntaf y tad fel cyfenw a dyna sut yr aeth mab Owen Jones yn William Owen, y cyntaf o amryw yn y teulu wedi hynny gyda'r enw hwn, gan gynnwys ei fab a anwyd yn Hafoty ar Ionawr 25, 1829.

Fe briododd y William hwn â Jane Williams o Ymwlch Ganol, Garn Dolbenmaen. Bu pedwar ar ddeg o blant o'r briodas hon, gan gynnwys un mab, Ellis William Owen, neu 'Ellis Foty' i bawb yn y byd amaethyddol. Ei briod oedd Jane Allen Wynne o ardal Llanrwst – a rhith o berthynas â Wyniaid y Gwydir medd rhai – a oedd ar y pryd yn gweithio yng Ngwesty 'Padarn Lake' yn Llanberis. O'r briodas hon yr oedd saith o blant, un ohonynt yn addas iawn wedi ei alw yn 'Ellis Foty Owen'! Sylweddolir fod teulu'r Foty yn deulu niferus iawn, gyda'r disgynyddion yn dal i amaethu yn ardal Cricieth a Chwm Pennant.

Yn ffair Beddgelert yn Medi 1928, gofynnodd rhywun i Carneddog gyfansoddi englyn i glodfori Ellis y Foty, a oedd erbyn hynny wedi symud o Hafoty, Cwm Brwynog, i ffermio Cwrt Isaf yng Nghwm Pennant:

Un hwyliog â'r fron haela – o achau
　Hen ochor yr Wyddfa,
　A dewr doeth difeidiwr da
Yw t'wysog y Cwrt Isa.

Un arall o feibion Ellis y Foty yw Robert Wynne Owen, a anwyd yn Hafoty Newydd ond a symudodd yn blentyn i'r Cwrt Isaf ac wedi hynny i Ymwlch Ganol, cartref ei nain gynt, Jane Williams. Dywedodd wrthyf na fyddai ei daid, William Owen, y Foty, byth yn mynychu'r capel, ond yr oedd 'wedi darllen ei Feibl o gâs i gâs' ddwywaith yn ystod ei oes. Yn y bennod ar hanes Capel Hebron, cofnodir fel y bu i William Owen wneud cais i gael dod yn aelod yn Hebron ac yntau bryd hynny yn 69 oed.

Modryb i Robert oedd Laura, hithau'n fam i Arthur George Owen, gŵr a fu'n ysbïwr i Brydain ac i'r Almaen yn ogystal yn ystod yr Ail Ryfel Byd, ac a adwaenid yn y byd cyfriniol hwnnw fel 'Johnny' neu dro arall fel 'Snowy' – i nodi ei gysylltiad â'r Wyddfa, mae'n debyg!

Mae hanes ei yrfa gyffrous wedi'i groniclo yn y llyfr *The Game of the Foxes* (Pan Books) ac fe wnaed ffilm ohono ef ac eraill a fu'n dilyn y bywyd peryglus hwnnw.

Brawd Ellis Owen oedd Robert Cadwaladr, a adwaenid gan

bawb fel 'R. C.'. Roedd yn heliwr heb ei ail a phan ddywedais wrth un o'r teulu fy mod, wrth edrych arno ar gefn ceffyl, yn synnu gweld milgi yn ogystal â'r cŵn hela mewn llun ohono, datgelwyd wrthyf ddull unigryw ond effeithiol 'R. C.' o hela llwynog. Defnyddio'r milgi fyddai i gydredeg â'r llwynog a pheri i hwnnw droi'n ôl, ac wrth wneud hynny, rhedeg i gyfarfod y cŵn a oedd, yn naturiol, yn arafach na'r milgi brych!

Soniai Michael Pritchard fel y byddai, yn llencyn deuddeg oed, yn dod ar draws y gors o'i gartref yn y Rali ar nos Sadwrn i warchod hen wraig y Foty, tra byddai'r ddau fab, Ellis ac 'R. C.', yn mynd i lawr i Lanberis am beint neu ddau. Cysgai Michael yn y Foty bryd hynny, a'i brif ddyletswydd fyddai gofalu fod yr hen wraig yn cael llefrith poeth a mêl cyn iddi fynd i'w gwely. Am ei gymwynas fe gâi swllt o bres poced. Gan fod ceffylau'r Foty wedi hen arfer â dringo'r allt yn ôl o Lanberis, nid oedd angen i'r brodyr, ar ôl dod o'r dafarn, ond eistedd ar eu cefnau a chyfeirio'u trwynau am adref.

Am gyfnod bu Frank Griffith, y Bryn, ger Caernarfon yn ffermio'r tir gyda bugail llawn-amser yn byw yn y Foty. Bwriad y deiliad presennol, Dafydd Morris o Ddeiniolen, fodd bynnag, yw atgyweirio'r tŷ fel bod modd byw yno yn ystod yr haf o leiaf. Yn wir, bydd gweld mwg yn dod o gorn y Foty unwaith yn rhagor yn rhoi cryn bleser i lawer un, gan mai Hafoty Newydd neu'r Foty, fel y ddwy Helfa gerllaw, yw'r tai annedd uchaf yng Nghwm Brwynog.

O bosib gellir dweud mai'r ddwy Helfa – yr Helfa Fawr a'r Helfa Fain – yw'r ddau ddyddyn mwyaf anghysbell yn y Cwm. Mae llethrau rhywiog a charegog yr Helfa Fain yn ymestyn at y llwybr dros Fwlch Maesgwm i'r Rhyd Ddu ac yn terfynu â'r Helfa Fawr.

Yn nhri degau'r 19eg ganrif amaethai Richard Pritchard a'i briod yn yr Helfa Fain a merch iddynt yn byw yn Ninorwig. Yn ystod gwyliau'r ysgol arferai'r plant ddod i aros i'r Helfa Fain at eu taid a'u nain. Cerddent i lawr y Llwybr Main o Ddinorwig i Lanberis ac yno ar lan y llyn yn disgwyl byddai Richard Pritchard a'i briod gyda'r drol a'r ceffyl, a phleser mawr i'r plant fyddai cael eu cludo i fyny i'r Helfa Fain. Am ryw reswm byddai Mrs Pritchard yn gafael yng nghynffon y ceffyl am y byddai'r weithred honno yn ei thyb hi yn rhoi mwy o awydd yn y ferlen i ddringo allt serth Penyceunant.

Y boddhad mawr o dreulio gwyliau yn nhawelwch yr Helfa fyddai casglu madarch a 'chosi bolia'r brithyll'.

Soniodd Priscilla Williams am ei modryb a arferai fyw yn yr Helfa Fain ac, yn naturiol, fel pob tyddynnwr arall yn y fro yr oedd hithau'n corddi a gwerthu menyn. O reidrwydd byddai'n gwyngalchu'r tŷ llaeth ddwywaith y flwyddyn gan fod tameidiau o'r menyn yn glynu ar y muriau cerrig. Yn nhreiglad amser byddai'r hen wraig yn casglu'r gweddillion hynny a'u dodi mewn potiau Lemco gwag (ers talwm byddai bri mawr ar Lemco yn ardal y chwareli). Defnyddid yr eli hwn – a dyna beth ydoedd ymhen amser – at friwiau ac anhwylderau cyffelyb, ac yn ôl y sôn yr oedd yn ddiguro. Heb os yr oedd penisilin Cwm Brwynog wedi'i ddarganfod cyn darganfyddiad byd-enwog Alexander Fleming!

Yn cysgodi o dan y Foel Gynghorion y mae adfeilion yr Helfa Fawr, fferm o faint sylweddol ar un cyfnod, gyda gwas llawn-amser yno ac yn ogystal yn un o'r ychydig ffermydd oedd ag olwyn ddŵr. Yno ar un cyfnod y trigai Siân Dafydd a'i mab Dafydd Gruffydd, a oedd yn un o blant Diwygiad 1817-1829, ac mewn oed cyn y medrai ddarllen. Wedi hynny nid oedd pall ar ei awydd, yn enwedig darllen y Beibl. Adroddir stori amdano yn eistedd gyda'i fam o bobtu'r tân, yn darllen yn uchel o'r Beibl. Pan ddaeth Dafydd at yr adnod 'Yr Ioan yr hwn y torrais ei ben ef yw hwn,' cododd Siân Dafydd yn wyllt o'i chadair gan geryddu ei mab. 'Rwyt yn methu, Dafydd, torri pen dafad mae o'n feddwl . . . does y fath beth â thorri pen dyn yn y Beibl.' Ailddarllenodd Dafydd yr adnod i'w fam gan obeithio ei darbwyllo, ond yr un oedd ei hymateb. Ni fynnai Siân dderbyn y geiriau a lefarodd ei mab, ac am ddyddiau bu'n holi amryw o'i chyfeillion ai gwir y geiriau.

Yn ei lyfr diddan ar hanes Llanberis mae William Williams, Bod y Gof, yn sôn am un John Williams yr Helfa 'fel un o wŷr craff y fro'.

Un o arweinyddion mwyaf dawnus cyngherddau a chyfar-

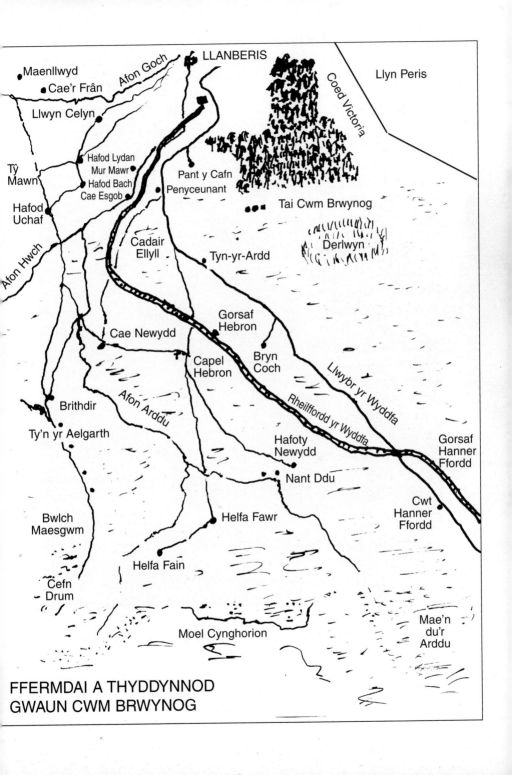

FFERMDAI A THYDDYNNOD
GWAUN CWM BRWYNOG

William Owen, Hafoty Newydd a'i briod Jane, gynt o Ymwlch Ganol.
Bu 14 o blant o'r briodas gan gynnwys Ellis ac R.C. (Robert Cadwaladr).

Hafoty Newydd a'r Wyddfa yn y pellter.

Ellis William Owen – 'Ellis y Foty'.

Teulu Hafoty Newydd ('Y Foty') circa 1917-18.

Y ferch yn gafael ym mhen y ceffyl yw Mrs. Jane Allen Owen, priod Ellis W. Owen, sydd ar gefn y ceffyl ar y chwith, gyda'i frawd R. C. Owen ar y ceffyl ar y dde. Yr ail o'r chwith yw Lilly, chwaer Mrs. Owen, gyda Robert Wynne Owen, mab Jane ac Ellis, yn ei breichiau.

uchaf: 'R.C.' (Owen) Hafoty Newydd a'i filgi. Sylwer ar nifer o lwynogod meirw mae yn dal yn ei law chwith.

isod: Ellis ei frawd ar y Ddol Fawr yn Llanberis.

uchod:
Yr Helfa Fawr a
Moel
Cynghorion
y tu ôl.

Yr awdur
gerllaw yr
Helfa Fain.

Hen sled i gario gwair yn pydru yn y brwyn ger yr Helfa Fawr.

David Roberts
('Dafydd Rhelfa'),
adroddwr o fri ac
arweinydd
cyngherddau.

Pladuro yn
Ty Mawn, ar y
chwith Mr. a Mrs.
Harry Roberts ac
yn rhoi help llaw
iddynt,
Michael Pritchard.

Sarah'r Brithdir
ar neges yn
Llanberis.

fodydd cymdeithasol ardal Llanberis ers talwm oedd David Roberts a oedd yn ogystal yn adroddwr o fri. Fe'i adwaenid ymhob man fel 'Dafydd yr Helfa', er iddo ymadael â'r Helfa Fawr ers blynyddoedd. Daeth i'r Helfa o Gapel Curig wedi i'w dad, John Roberts, farw yn yr America, gan adael ei fam a thri o blant yng Nghymru. Y bwriad oedd iddynt ei ddilyn i Efrog Newydd yn y man. Gan i'w weddw ailbriodi ymhen sbel, fe fagwyd David Roberts gan berthnasau yn yr Helfa Fawr, nes iddo symud i Lanberis wedi priodi ag Ellen yn 1901. Cyfrannodd y chwarelwr hwn, na chafodd fawr o addysg, yn hael iawn i ddiwylliant ardal Llanberis tros nifer o flynyddoedd gan fagu tylwyth o blant athrylithgar. Un ohonynt yw'r dramodydd Huw Roberts, Pwllheli, a fu'n athro yn Ysgol Botwnnog.

Bu teulu'r Helfa Fawr yn ffermio gwahanol dyddynnod Gwaun Cwm Brwynog tros nifer o flynyddoedd. Symudodd Richard a Catherine Williams a'i mab Richard, o'r Helfa i ffermio Blaen Nant, Crafnant, Trefriw, gan adael y mab arall, Henry, a'i briod Margaret i amaethu'r Helfa Fawr a chyda hwy y magwyd David Roberts. Yn nhreiglad amser bu i blant a wyrion Henry a Margaret drin erwau'r Helfa Fawr, Cae Newydd, Tŷ Mawr, Cae Esgob, Llwyn Celyn Bach a Hafod Lydan gyda'u dylanwad yn fawr ar fywyd Gwaun Cwm Brwynog.

Ni fu ffermwyr defaid Cwm Brwynog yn hollol gytûn, fel y gellid disgwyl mewn cwm mor gul gyda chynifer ohonynt yn cadw defaid. Aeth yr anghydfod rhwng teulu'r Helfa Fain a theulu'r Helfa Fawr cyn belled â'r llys yng Nghaernarfon ar ddiwedd y 19eg ganrif. Dyma'r llythyron fu'n cysylltu Asiant y Faenol â'r ffrwgwd:

Helfa Fain,
Llanberis   May 1 1894
Sir,
In reply to your letter of 13th ultimo re Henry Williams' complaints I beg to state as follows.

The gate referred to is a little gate at the gable end of my house which I must leave open during the winter months as much of my land is both in front and back of the house and this is the passage of the sheep from one place to the other, while Mr Henry Williams has no business to turn his sheep and cattle right to my place.

I am sorry he told you that I purposely left the gate open in order to trouble and to deal spitefully towards him; such a thing never entered my mind and further, I hate such conduct in any man.

With regard to the sheep taken to graze from Mr Roberts, Castell they were 100 in number, which I kept for a few months during the drought last summer. I must confess that I am ignorant of the fact that this is contrary to the rules of the Estate. Henry Williams himself invariably has other people's sheep grazing on his land.

Now I have of my own as many sheep as the grazing land for them may reasonably admit. If Mr Henry Williams had the honesty of using his own rights and no more he would not have taken the trouble to come down to you to complain and endeavour to impress upon your mind that I am the offender and not himself.

I can see that there will be no peace with Henry Williams not until the boundary between Helfa Fawr and Helfa Fain is fenced out. May I sincerely ask you to be good enough to do so and it will end strife as well as stop all misdeeds and mis-statements. In case you may feel inclined to an enquiry into the matter I shall be happy to come before you, but in my humble opinion the fencing out (the distance is only short) is the best solution of the matter. Shall be glad to hear from you soon.

> I am Sir,
> Your obedient servant,
> Owen Pritchard

To Captain Stewart.

Ac eto ar Orffennaf 5 1894:

Helfa Fain,
Llanberis   July 5 1894
Sir,

In reply to yours of the 6th ultimo I beg to state that I have seen the tenants mentioned by you except my neighbour Henry Williams.

They are unwilling to take upon themselves a share of repairing the boundary wall mentioned but I am willing to undertake the expense between me and Bron Fedw.

I hope you will kindly reorganize the boundary mentioned by me in my last letter to you between myself and Mr Henry Williams, Helfa Fawr in order to have an end of the unpleasantries arising from the want of such, and I shall be glad to fence it out myself unless you find it necessary that you should do the same. Amongst us as tenants in general, the boundaries are recognized but Mr Henry Williams does not keep to his moral and recognised rights, therefore fencing the boundary is the only thing that will settle the matter peaceably.

I remain, Your respectfully,
Owen Pritchard

To Captain Stewart.

Ar Awst 4 1894 anfonwyd gair i'r Asiant gan Henry Williams, Helfa Fawr.

Dear Sir,

I went up to the mountain on Thursday last to look after my sheep.

I was followed up by two sons of Owen Pritchard, Helfa Fain and they threatened to pull me to pieces if I did not go down at once. They said I had no business there whatever.

I think it my duty to inform you that I have taken legal proceedings against them to appear at Caernarvon on Saturday, August 11 1894.

I am, your obedient servant,
Henry Williams

To Captain Stewart.

Helfa Fain,
Llanberis   August 7 1894
Sir,

On Thursday last we saw Mr Henry Williams, Helfa Fawr between 2 and 3 o'clock pm going amongst our sheep with a bitch of his, which when put on sheep worries them. Knowing that on previous occasions he had set his bitch on our sheep we followed him up. The somewhat sneakish way he was going created suspicions that he was bent upon some mischief.

When he found us coming he at once turned and traced his steps backward and just by the time we reached him, he sat down and in passing him, one of us (Owen) told him he was not required amongst our sheep. Whereupon he asked if we looked after him when Owen answered him in the affirmative. He then said 'I challenge you to go back amongst them again'. Whereupon Owen cautioned him, but he said he would to provoke us, at the same time wielding his stick in a threatening attitude but we walked away and left him where he was, the distance between us from 20 to 30 yards.

When we were gone about 100 yards from him he shouted after my brother John. Previous to this John had not uttered even a word and it is pure fabrication on Henry Williams to say that John threatened him in any way and in cautioning him. I never used the words set down in the summons.

It is really impossible to guard against the schemes and mischief of Mr Henry Williams and he is open to utter lies and to misrepresent everything and such a state of things makes it very uncomfortable with such a neighbour.

We are sorry to be obliged to trouble you with such a statement as this. We can easily understand why Mr Henry Williams' behaviour is so troublesome.

We are Sir,
Your humble servants,
Owen and John Pritchard
sons of Owen Pritchard

Bu'r achos yn y Llys yng Nghaernarfon ym mis Awst 1894 pan gyhuddwyd y ddau, sef J. O. Pritchard a C. O. Pritchard o'r Helfa Fain, o fygwth niwed corfforol i Henry Williams, yr Helfa Fawr, ond haerai'r ddau ddiffynnydd na fu iddynt fygwth Henry Williams o gwbl. Penderfynodd y Fainc daflu'r achos allan.

Ni wyddys beth fu canlyniad y ffrwgwd, neu a osodwyd ffens ar y terfyn rhwng y ddau dyddyn ai peidio, ond o gofio lleoliad y ddeule a'r angen i'r teuluoedd fynd a dod yn ddyddiol heibio tiroedd ei gilydd, nid oedd awyrgylch fygythiol o les i'r un o'r ddau deulu mewn llecyn mor anghysbell. Heddiw mae'n llesmeiriol o dawel rhwng terfynau'r ddau dyddyn, a'r defaid yn mynd yn ddidrafferth o un helfa i'r llall.

Lled ffridd neu ddwy ar ochr arall i Afon Arddu mae y ddau dyddyn Nant Ddu, y Mawr a'r Bach. Yng nghyfnod Evan Owen o'r Waunfawr, sef wyth degau'r bedwaredd ganrif ar bymtheg, yr oedd gwas a morwyn yn Nant Ddu (Fawr) a gellir tybio ei bod bryd hynny yn fferm o faint, gyda chyflog y forwyn yn ddwy bunt i'w dalu pob hanner blwyddyn a'r gwas yn derbyn pum punt y flwyddyn. Roedd yno naw o fuchod yn magu lloi yn flynyddol a thua phum cant o ddefaid ar y llechweddau.

Yn ystod ail hanner y 19eg ganrif fe drigai gwraig unigryw iawn yn Nant Ddu (Fawr) sef Jane Jones, neu Siân Nant Ddu i drigolion y waun. Roedd yn wraig o gorff sylweddol iawn, yn pwyso pymtheg stôn yn ôl Michael Pritchard a fyddai bob amser wrth bwysleisio maint ei chorff yn atgoffa'r gwrandawr fod Jane Jones 'yn ddynas glyfar, cofia'. Roedd ganddi lais soprano hynod yn ôl y sôn, a phan fyddai'n dod i Gapel Hebron, clywid ei llais soniarus uwchben y lleisiau eraill yn y capel. Os teimlai ei hun yn cael hwyl ar y canu, byddai'n siglo yn ôl a blaen yn ei sedd, ond gan fod ganddi gorff mor nobl nid gweithred hawdd fyddai iddi eistedd yn sedd y capel ac o reidrwydd byddai'n ofynnol iddi eistedd 'yng ngwysg ei hochor' a sŵn ei dillad crinolin yn rhoi difyrrwch diniwed i'r plant.

Yn y Nant Ddu y bu Jane Jones bron ar hyd ei hoes, a rhaid cyfaddef y byddai Michael Pritchard yn mynd i ecstasi bob amser wrth sôn amdani. 'Welis i rioed 'run person 'run fath â hi am fwyta. Dim rhyfedd ei bod yn pwyso pymthaig stôn.'

Roedd crochan yn llawn o laeth enwyn ar ganol y bwrdd yn Nant Ddu bob amser, a'r drefn oedd fod pawb efo'i bowlen yn drachtio o'r crochan yn ôl ei angen. A phan fyddai Jane yn galw yn y Rali, cartref Michael, byddai ei fam 'yn gneud stwnsh rwdan yn sbesial iddi hi wsti, a mi fydda hi yn ei fwyta i gyd, bob mymryn ohono'.

Fe briododd Jane ddwywaith. Ei gŵr cyntaf oedd William Pritchard a adwaenid gan bawb fel 'Bili Goodman'. Bu un ferch o'r briodas, sef Jane Ann.

Ar fore Tachwedd 11, 1873 cyfaddefodd Bili wrth ei briod iddo freuddwydio yn ystod y nos ei fod yn cael ei ladd yn y chwarel. Yn naturiol roedd Jane wedi dychryn yn arw a darbwyllodd ei gŵr i beidio â mynd i'r chwarel ond yn lle hynny i fynd i lawr i Lanberis gyda'r ceffyl a'r drol i gyrchu blawd a glo. Ar ôl brecwast cychwynnodd Bili, ac yn ôl yr arfer agorodd y giât a thywysodd y ceffyl drwodd. Yn sydyn, hysiodd y ceffyl pan oedd Bili druan yn camu'n ôl, gan ei wasgu rhwng carreg y postyn giât a bôth y drol. Yn eironig iawn, o gofio breuddwyd Bili y noson cynt, bu farw o'i glwyfau ac yntau ond hanner cant oed.

Ymhen blynyddoedd, ailbriododd Jane â William Jones, gŵr a

oedd yn ôl y sôn yn hoffi ambell beint o gwrw. Un noson, wedi dychwelyd o dafarndai Llanberis, cafodd y creadur flas tafod parod Jane a'i ateb oedd . . . 'Siân, tydio yn beth rhyfedd yn tydi . . . Bili Goodman oedd enw dy ŵr cynta di, ond mae'n rhaid mai Bili Badman ydw i'.

Yn ystod blynyddoedd olaf ei bywyd aeth Jane Jones i fyw i Lanberis ac yna am gyfnod i Leeds at ei merch Jane Ann, ac yno yn 1928 bu farw'r cymeriad unigryw yma yn 93 oed.

Nid nepell o Nant Ddu mae adfeilion Nant Ddu Bach, lleoliad yr Ysgol Sul gyntaf yng Ngwaun Cwm Brwynog cyn codi Capel Hebron. Hwn yw'r tyddyn y cyfeiriodd Evan Owen ato yn ei lyfr *Fy hanes fy hun* am mai yno y lletyai gyda Malan Siôn a'i brawd Robert Ellis, chwaer a brawd William Siôn, Bryn Coch ac Ellis Jones, y Brithdir. Roedd Griffith Ellis, y dewin neu'r 'gŵr cyfarwydd' o'r Waunfawr, hefyd yn frawd iddynt. Y swm a dalai Evan Owen am y llety oedd swllt a chwe cheiniog yr wythnos. Tŷ bychan o ran maint oedd Nant Ddu Bach, tŷ ag un ffenestr yn unig, a dim ond un siambr fechan a dau wely 'gyda dim ond llathen rhyngddynt' yn ôl y lletywr. Ffaith ddiddorol arall a groniclir ganddo yn ôl ei gyfaddefiad oedd iddo fod yn bump ar hugain oed cyn yfed ei gwpaned gyntaf o de, ac ar brynhawn Sul yn unig y câi y mwynhad hwnnw! O gofio mor fychan oedd maint Nant Ddu Bach, mae'n syndod fod modd cynnal gwasanaethau crefyddol yno.

Rhoddir y clod am gynnal yr achos gwreiddiol yn Nant Ddu Bach i William Morgan, yr Helfa Fawr, William Siôn, Bryn Coch a'i fab Michael oedd yn dad i'r bardd Dewi Peris. Bu llwyddiant mor sylweddol ar eu hymdrechion nes y bu'n rhaid adeiladu Ysgoldy'r Waun, fel y'i gelwid bryd hynny, yn 1833.

O ddringo llwybr yr Wyddfa heibio Ty'n yr Ardd, deuir yn y man at adfeilion Bryn Coch yn y cae ychydig yn uwch na gorsaf y rheilffordd yn Hebron. Yma yn byw y bu teulu cerddgar iawn, teulu Siôn William, gŵr yn ôl pob sôn oedd yn meddu ar gof eithriadol, ond fel cerddor y cydnabyddid ef yn yr ardal a thu hwnt. Dywedir y gallai adrodd pregethau a glywodd ddeugain mlynedd ynghynt – ond er cofio eu cynnwys ni fedrai, yn ôl rhai, ddiffinio eu hystyr. Ond chwarae teg i Siôn William, yr oedd bob amser yn fwy na pharod i gydnabod mai cerddor ydoedd ac nid diwinydd!

Bu teulu Bryn Coch tros nifer helaeth o flynyddoedd yn fodd i ugeiniau o blant Gwaun Cwm Brwynog fod yn gyson lwyddiannus mewn sawl arholiad y Tonic Sol-ffa, ac o'r herwydd yr oedd y teuluoedd hyn yn datblygu'n gerddorol iawn ac yn gallu darllen y sol-ffa yn ifanc. Yr oedd canu anthemau mewn bri yn y Capel Coch a Hebron a Siôn Williams, a arferai fod yn un o arweinyddion y gân yn y capel hwnnw cyn adeiladu Hebron, yn gryn feistr ar y gwaith hwnnw yn ogystal.

Bu Hugh Williams, y mab, yn gaffaeliad mawr i ganiadaeth Hebron fel ei dad o'i flaen, ac yn 1898 cafwyd y deyrnged hon gan ei weinidog, y Parchedig D. Morgan Pritchard:

Rhaid cyfeirio at ei ffyddlondeb canmoladwy, yn bresennol ymhob tywydd. Mae hefyd yn siaradwr da naturiol a phwrpasol ac yn gofiadur rhagorol. Efe sy'n gofalu am y canu eithriadol yma sy'n uwchraddol o ran ansawdd y lleisiau. Rhydd ei orau gyda'r canu yn y seiadau ac ar nosweithiau gwaith. Dangosir ganddo barodrwydd mawr i ymgynghori ac annog a chynorthwyo ymhob adran o'r gwaith. Trwy ei lafur personol ef, daeth pymtheg o dystysgrifau Arholiad y Tonic Sol-ffa i Hebron a Thomas Williams, Bryn Coch eto, sydd gyda'r offeryn byth yn colli oedfa na byth ar ôl.

Yn ei lyfr *Y Chwarel a'i Phobl*, mae'r Parchedig H. D. Hughes, tad yr Arglwydd Cledwyn, yn sôn yn ganmoliaethus iawn am ei gyhoeddiadau yn Hebron ac yn benodol felly am Hugh Williams.

Nid oes amheuaeth i deulu Bryn Coch gyfrannu'n hael iawn i ddiwylliant y cwm ac mae cyn-drigolion y Waun bob amser yn uchel eu clod i gyfraniad y teulu dros nifer o flynyddoedd. Yn ddi-os yr oedd Hugh Williams yn esiampl wych o'r chwarelwr diwylliedig ac ymroddgar a gaed yn yr ardal ar ddiwedd y bedwaredd ganrif ar bymtheg ac ar ddechrau'r ugeinfed ganrif.

Bardd lleol anhysbys fu'n gyfrifol am y deyrnged hon i Siôn William:

Dyn cofus, doniau cyfan – yn gerddor
Ag urddas i'w anian,
Er pob hiraeth aeth weithian
O Fryn Coch i fryniau cân.

Y Parchedig R. H. Watkins, gweinidog Capel Ysgoldy, Deiniolen, oedd awdur yr englyn hwn i Hugh Williams, y mab:

Gŵr annwyl gwladgar, union – pêr ei fawl,
Pur ei foes a'i galon,
Was da, soniarus ei dôn
Hun obry udgorn Hebron.

Fe gaed ochr ddoniol i'r cymeriadau hyn yn ogystal. Dywedir i un o chwarelwyr y Cwm golli ei dymer gydag un o stiwardiaid y chwarel un bore, gan ddweud wrtho am 'fynd i'r diawl'. Roedd rhegi'r stiward yn drosedd anfaddeuol a gorchmynnwyd y troseddwr i fynd i'r Offis Fawr – prif swyddfa'r oruchwyliaeth – ac yno dywedwyd wrtho fod ganddo ddau ddewis, un ai ymddiheuro wrth y stiward neu golli ei waith yn y chwarel. Cytunodd i ymddiheuro, ac o weld y stiward yn y bonc dywedodd wrtho: ''Dach chi'n cofio fi'n deud wrthoch chi bore 'ma fod isio chi fynd i rwla, wel sydd ddim isio i chi fynd yno rŵan'.

Fel y crybwyllwyd, mae Ty'n yr Ardd ar ochr llwybr yr Wyddfa, a chred rhai mai Ty'n yr Arddu a ddylai yr enw fod – hyn o bosib am ei fod yng ngolwg Clogwyn Du'r Arddu draw yn y pellter ar ochr yr Wyddfa. Arferai Mair Roberts, Cae Newydd bryd hynny, werthu cwpaneidiau o de, gwydraid o lefrith neu lemonêd am bedair ceiniog yng ngardd garegog Ty'n yr Ardd i'r pererinion sychedig. Fel ymhob. tyddyn yr oedd ffynnon wrth law, a phan fyddai'r cyflenwad llefrith yn mynd yn isel taenid lliain gwyn ar un o ychydig goed yr ardd, yn wynebu Cae Newydd draw yn y pellter. O weld yr arwydd âi rhywun ati i odro un o wartheg Cae Newydd a dod â llond piser i adnewyddu gofynion y caffi bychan yn Nhy'n yr Ardd. Bellach does dim ond pentyrrau o gerrig mawrion i ddynodi'r fan.

Saif Adwy'r Nant gerllaw Capel Hebron, yn ymddangos yn dŷ cadarn, yn wir yn adwy i ran uchaf y cwm. Erbyn hyn ysywaeth

mae olion y ddrycin arno ac mae'n brysur ddatgymalu. Ynghlwm
â gorsaf y rheilffordd yn Hebron yr oedd tŷ annedd, ond ers
blynyddoedd bellach bu'r adeilad yn gysgodfan i weithwyr
cwmni'r rheilffordd.

Cyfeiria'r llwybr heibio'r fynedfa i Gapel Hebron ein camau ar
draws y gors i Gae Newydd. Soniwyd droeon fel yr oedd amryw o
deuluoedd Gwaun Cwm Brwynog yn perthyn i'w gilydd, ac nid
oedd teulu Cae Newydd yn eithriad. Cyfeiriwyd eisoes at deulu'r
Helfa Fawr a David Roberts, a chyfnither iddo oedd Catherine Elin
Roberts, Cae Newydd, oedd yn briod â Robert Roberts gynt o Gallt
Celyn, y Clegir.

Arferid codi mawn ar dir Cae Newydd a'r hen fegin yn gyson
wrth ochr y tân at ofynion y teulu. Yr oedd tarw bob amser yng
Nghae Newydd a ffermwyr y fro yn dod â'u gwartheg yno yn ôl yr
arfer. Ar nodyn ysgafn, ond nid i'r dioddefwyr, cydnabyddid yn
gyffredinol fod gwyddau Cae Newydd yn hynod o ymosodol a
byddai pawb a fentrai yno yn dra gwyliadwrus ohonynt.

Yn stabl Cae Newydd yr arferai'r hen drempyn, William
Hughes, roi ei ben i lawr pan ddôi ar ei bererindod flynyddol i
weithio ar dyddynnod y Cwm. Yn ogystal, roedd Cae Newydd yn
un o'r ychydig dai yn y waun â llofft iddo ac arferai Catrin Roberts
'gadw visitors', er syndod o gofio mor anghysbell ei leoliad. Roedd
sawl un, mae'n debyg, wedi ei ddenu yno i fwynhau'r bara cartref
hyfryd y byddai hi'n ei bobi.

Wrth reswm, roedd tywydd garw yn ystod y gaeaf ac yn wir
caed corwynt rhyferthol un noson nes codi to y beudy a'i daflu i lan
yr afon. Dro arall, golchwyd y bont ymaith gan lif eithriadol a bu
trafodaethau hir ynglŷn â phwy ddylai fod yn gyfrifol am godi
pont newydd oedd, wrth reswm, yn angenrheidiol i fynd a dod i
Gae Newydd. Ond, diolch i'r drefn, fe gaed cytundeb, a heddiw
mae stelcian ar y bont yn sŵn yr afon yn un o bleserau pob
ymweliad â Chwm Brwynog i mi.

Erbyn cyrraedd y bont mae'r Afon Arddu ar filltir olaf ei thaith
fyrlymus dros y Ceunant Mawr i Lyn Padarn. Yno ar lan yr afon ar
brynhawn tesog dioglyd yn yr haf, a thawelwch y llecyn yn mynnu

fod popeth o'ch cwmpas yn diferu o gyfaredd, does neb a amheuai fod yma le hudolus i enaid gael gwir lonyddwch.

Heddiw, nid oes ond adfeilion Cae Newydd yn mwmian yn y gwynt, a hyn yn sgil ffrwydrad a fu yno nos Lun, Gorffennaf 17 1952, noson Carnifal blynyddol Llanberis.

Yn ôl y sôn, roedd Robert Jeffrey, y mab, yn cyfnewid silindr nwy pan ffrwydrodd, gan achosi tân a chwythu ffenestri'r tyddyn. Ymhen ychydig o amser roedd y tŷ yn wenfflam a dioddefodd Robert Jeffrey losgiadau garw. Roedd ei fam oedrannus, Catrin Roberts, hefyd wedi dioddef, ond aed â hi allan o'r tŷ mewn pryd. Rhedodd rhywun drwy'r gors i orsaf y trên yn Hebron i ffonio'r frigâd dân yng Nghaernarfon. Yn ôl un adroddiad ceisiodd un o'r merched fynd yn ôl i'r tŷ ond llosgwyd ei gwallt gan y fflamau.

Erbyn i'r frigâd dân gyrraedd yr ucheldir yr oedd Cae Newydd wedi llosgi'n arw. Aed â Robert Jeffrey druan i'r ysbyty ac yn ogystal Jim Parry, un o swyddogion y frigâd dân, gan iddo yntau gael ei anafu pan syrthiodd ysgol ar ei gefn. Erys cragen Cae Newydd ynghanol y brwyn yn gofeb i'r bwrlwm a fu yno gynt.

Y BRITHDIR, TYNYRAELGARTH A'R DEFAID CRWYDROL

Y tyddyn agosaf i Gae Newydd yw'r Brithdir, lle trigai Ann Jones, perthynas i'r Arglwydd Cledwyn, a byddai yntau'n dod yno o dro i dro pan oedd yn blentyn. Y teulu olaf i fyw yn y Brithdir oedd teulu William Henry Jones, mab Michael ac Ann Jones. Roedd ganddo ddau frawd a symudodd o'r Brithdir, sef Arthur a aeth i weithio ar y rheilffordd ym Manceinion a Harry, gŵr tawel a phwyllog, gŵr a adwaenai'r awdur yn dda gan iddo symud i bentref Brynrefail ac a adwaenid ymhob man fel 'Harry'r Brithdir'.

Yn ychwanegol at y teulu magwyd merch ifanc o Dde Cymru, sef Sarah. Nid oedd Sarah yn rhugl iawn yn ei Chymraeg, a rhyw hanner Saesneg fyddai cynnwys ei brawddegau yn ddi-feth. Hysbysai hwn ac arall ar ei thaith adref i'r Brithdir o Lanberis, 'I want to go home to corddi you know', ac yn ôl y sôn roedd pawb yn hoff iawn o Sarah. Un o bleserau'r haf i Peggy, merch y Brithdir, a Sarah fyddai cerdded i orsaf rheilffordd yr Wyddfa yn Hebron, a phan arhosai'r trên yno, byddai'r teithwyr yn cael eu diddanu gan ddeuawd y ddwy ferch fach gyda'r geiriau bythgofiadwy: '. . . brechdan sôs . . . brechdan trên . . . brechdan samon'.

Yn gam neu'n gymwys, nid oedd gan y teithwyr syniad yn y byd am gynnwys y gân ond, chwarae teg iddynt, arferent daflu ychydig geiniogau i'r ddwy am eu llafur, cydnabyddiaeth oedd yn dra derbyniol gan y ddwy, mae'n siŵr.

Wrth edrych drwy gofnodion Capel Hebron am 1891 gwelwyd cyfeiriad at y Michael Jones uchod. Dyma'r cofnod:

. . . Ymddiddanwyd â William Rowlands, Adwy'r Waun a Michael Jones, Brithdir gan fod y ddau wedi bod yn esgeulus o foddion gras, a chynghorwyd hwy i fod yn fwy egnïol yn y dyfodol . . .

43

Brawddeg sy'n profi nad pawb sydd yn cael eu hanfarwoli am yr un rheswm!

O'r Brithdir mae llwybr yn mynd tros ysgwydd y mynydd i'r Rhyd Ddu, llwybr a adwaenid fel 'llwybr Bwlch Maesgwm' ac a fu'n destun y penillion hyn gan Ap Glaslyn:

Dros y mynydd teithio wnaethum
Tua'm genedigol fro,
Wedi cefnu ar y Clegir
A chlogwyni Cwmyglo;
Eis i fyny heibio'r fawnog
A'r Cwm Brwynog ar fy hynt,
Tra yn llwythog o adgofion
Am helyntion dyddiau gynt.
Eto 'mlaen a thros y weirglawdd
Fyny'r allt heb fod yn flin,
Daethum yna'n syth gyferbyn
Â'r hynodol Glogwyn Gwin,
Annedd ryfedd yr hen lanciau
Cryfion, heinyf, diddan, ffraeth,
Rhai fu'n byw ar uwd a llymru
Bara ceirch a phosal llaeth.

Ar ochr y llwybr mynyddig ceir adfeilion sawl tyddyn yn cysgodi o dan fynydd yr Aelgarth, yr oll o'r un enw sef 'Tynyraelgarth', neu 'Y Rali' i bawb yn y fro. Yn un o'r rhain y trigai John Davies (1813-1881) a'i deulu. Adwaenid ef fel 'Siôn Dafydd y Rali' a chydnabyddid fod y chwarelwr hwn, na chafodd fawr o addysg ffurfiol, yn ŵr diwylliedig ac yn ddarllenwr brwd. Pan godai i annerch yng nghaban y chwarel, y farn gyffredinol oedd nad oedd ei well, a'i gyfraniad bob amser yn sylweddol a chytbwys. Merch iddo ef a'i briod Mary oedd Eliza a fu'n athrawes am gyfnod yn Ysgol Syr Thomas Jones, Amlwch ac a briododd â Syr John Rhys, Prifathro enwog Coleg yr Iesu, Rhydychen. Fe gofnodwyd yr achlysur yn yr Herald Cymraeg yn 1872 fel a ganlyn:

Ar Awst 6 1872 yn eglwys Blwyfol Llanberis, gan y Parch T.E. Jones, Rhyl, yn cael ei gynorthwyo gan y Parch W.J. Williams, Periglor y plwyf, priodwyd Mr John Rhys, Cymrawd o Goleg Merton, Rhydychain ac Arolygydd Ysgolion dros ei Mawrhydi ac Eliza, merch hynaf Mr John Davies, Tynyraelgarth, Llanberis. [Ni chofnodwyd enw'r fam, Mary Davies!]

Bu'r achlysur yn destun englynion gan Ioan Arfon (John Owen Griffith), bardd lleol a anwyd yn y Fronllwyd, Waunfawr:

Rhys enwog gafodd ryw syniad – nad da
Bod heb amddiffyniad,
A chofiodd fod dyrchafiad
A lles dyn mewn gwell ystad

Prawf weithion roi'n prif iaithwr – er ei ddysg
Nad rhyw dda mo'i gyflwr,
A bod gwell cael bywyd gŵr
Na'i godi'n hen dysgawdwr.

O'i bur fynwes rhoes brawf ini – y glyn
Wrth ein gwlad uchelfri,
Cymraes hoff, cymarus hi
Dewisodd i gydoesi.

Ym mynwent Nant Peris ceir beddrod eu merch fach, Gwladus Rhys, a fu farw yn flwydd oed ym Mehefin 1874.

Bu John Davies farw ar Dachwedd 2 1881 yn 68 oed, ac ar garreg ei feddrod yn Nant Peris ceir dau englyn gan Elidirfab yn cyfeirio at ei ffraethineb. Roedd ef a'i briod wedi symud o Dynyraelgarth i Lanberis yn ystod eu blynyddoedd olaf.

Mae'n ddifyr cofnodi i Syr John yn ei lyfr *Celtic Folk Lore* gyfeirio at y ffaith i'w briod, pan yn blentyn, weld y Tylwyth Teg droeon yn chwarae a dawnsio ar lethrau Cwm Brwynog. Un arall a fyddai'n sôn yn gyson am y Tylwyth Teg oedd Siân Dafydd, yr Helfa Fawr, y cyfeiriwyd ati eisoes. Soniai Siân, a fu farw yn 1865, fel y bu i un o fugeiliaid y Cwm syrthio mewn cariad ag un o'r Tylwyth Teg a welodd ar lan Llyn Du'r Arddu. Wedi priodi, cytunwyd nad oedd ef i'w tharo hi â dim oedd o ddefnydd haearn. Ond un diwrnod, yn ôl Siân Dafydd, taflodd y gŵr gyfrwy'r ferlen i'w wraig ac yn anffodus tarawyd hi gan haearn y cyfrwy. Diflannodd y wraig dan ddyfroedd y llyn ac ni welwyd mohoni byth wedyn.

Yn ei lyfr *Llanberis a'i Phobl* mae'r Parchedig Tecwyn Parry yn sôn am lencyn o'r enw Wil oedd yn byw yn yr Helfa Fain ac a welodd y Tylwyth Teg yn dawnsio'n osgeiddig ger Maen Du'r Arddu ar lethrau'r Wyddfa. Roedd y demtasiwn i ymuno yn y ddawns yn ormod i Wil druan, a buan iawn yr aeth i mewn i'r cylch, ond yn ôl y chwedl ni welwyd mohono am gyfnod wedi hynny. Ymhen dyddiau, fodd bynnag, daeth nifer o fugeiliaid y Cwm o hyd iddo yn gorwedd bron yn ddiymadferth ar y llethrau ac, yn ôl ei gyfaddefiad, 'wedi gwir fwynhau fy hun'.

Y canol o'r tyddynnod yn dwyn yr enw Rali (Tynyraelgarth) oedd cartref Michael Pritchard, y cyfeirir ato'n aml yn y gyfrol hon. Yno y bu'n byw cyn symud i Lanberis, ond fe gariodd enw'i hen gartref gydag ef i bobman.

'Meic Rali' oedd y gŵr bychan, rhadlon, direidus a gwengar hwn i bawb. Bu'n gweithio yn Chwarel Dinorwig gyda fy nhad, ac o'r herwydd bûm yn ddigon ffodus i gael sawl sgwrs ddifyr a dadlennol gydag ef am rai o gymeriadau ac arferion y cwm. Gan ei fod ymhell tros ei bedwar ugain oed yr oedd ganddo, yn naturiol, sawl stori ddigrif a difrif i'w hadrodd. Ganwyd Michael yn y Rali ac yno y trigai gyda'i rieni. Soniai'n aml am ei frawd Thomas yn cyd-gysgu gydag ef yn y groglofft, a phan fyddai'r gwynt nerthol yn dod tros Foel Cynghorion '. . . roedd ein gwely ni yn ysgwyd fel llong ar y môr, wsti'.

Arferid cadw pedair buwch a hanner cant o ddefaid ar dir corslyd a mynyddig y tyddyn – roedd nifer yr anifeiliaid wedi ei benodi gan asiant Stad y Faenol, ac fe osodwyd amod arall nad oedd ei rieni i gadw llo ond at hanner blwydd ac nad oeddynt i gadw heffar os oeddynt hefyd yn cadw pedair buwch. Gan fod brain Cwm Brwynog yn hynod farus, roedd ymdrechion glew ei dad i dyfu tatws yn yr ardd fechan yn amlach na pheidio'n ddigynnyrch.

Pan fyddai salwch mewn unrhyw deulu byddai rhywun bob amser yn gwirfoddoli i gerdded i lawr i'r feddygfa yn y pentref i gyrchu'r meddyg neu i gael moddion, ac er garwed y siwrnai, ambell dro yn oriau mân y bore, edrychid ar hyn fel dyletswydd gymdeithasol.

Gan fod rhith o berthynas rhwng teulu'r Rali a theulu Jane Jones, Nant Ddu, byddai hi'n galw'n achlysurol yn y Rali, ac er mwyn i fam Meic wybod am ei bwriad i ddod ar draws y gweirgloddiau a'r angen i groesi Afon Arddu, byddai Jane yn taenu cynfas wen ar glawdd drain o flaen ei chartref a hynny yng ngolwg cegin y Rali. Un o ddyletswyddau Meic a'i frawd bryd hynny fyddai gosod planc yn y man culaf o'r afon er mwyn iddi groesi i dir y Rali. Roedd yn ofynnol i'r planc fod yn hynod gryf o gofio fod Jane Jones yn pwyso pymtheg stôn. Pan ddôi ei hymweliad i ben, byddai'r gadair freichiau lle'r eisteddai yn codi gyda'i chorff nobl a phryd hynny, er mawr ddifyrrwch i'r plant, byddai'n ofynnol i rywun ddadgysylltu'r gadair oddi wrthi.

Yr oedd ffynnon ynghlwm â phob tyddyn bron ac yn wir mae ffynnon y Rali mor loyw heddiw ag erioed. O'i dŵr hi y llenwai'r teulu 'yr hen Forgan', enw'r teulu am y tegell haearn ynghrog uwch y lle tân, term y clywais fy nain hefyd yn ei ddefnyddio. Roedd 'Ydi Morgan wedi berwi bellach?' yn gwestiwn cyson ar sawl aelwyd yn y fro bryd hynny.

Ymddengys fod tenant Tynyraelgarth ym mis Awst 1889, Michael Jones, wedi codi gwrychyn asiant y Faenol, sef Capten Stewart, drwy beidio â thalu'r rhent yn ei bryd. Dyma orchymyn yr asiant i gyfreithiwr y stad ynglŷn â'r diffyg:

Dear Sir,   August 10 1889
A tenant, Michael Ellis Jones, Tynyraelgarth, Llanberis owes £4.17.0 for rent i.e. 12 November to 12 May last. Mr Grey, solicitor, Bangor has a writ against him and had informed the bailiffs in charge. The 5 days were up yesterday and the bailiffs must do something today. This amount includes tithes and also increases of rent, the tenant will understand what this means. I enclose his agreement.
Yours faithfully,
N. P. Stewart

Re Michael Ellis Jones, Tynyraelgarth
dr to N. P. Stewart, agent to George William Duff Assheton Smith
1889 May 12 to half year's rent of part of Tynyraelgarth due this day . . . £4.14.6
Also to half year's tithe, due this day . . . 2/6
Total . . . £4.17.0

Ni wyddys beth oedd y canlyniad.

Un a fagwyd yn Nhynyraelgarth yw Beryl Dawes (Pritchard gynt) sydd ers blynyddoedd yn byw yn Devonport, ond er hynny mae ei hatgofion am ddyddiau ei phlentyndod yn y Rali mor fyw ag erioed. Erys un amgylchiad trist yn ystod tymor Nadolig 1925 yn fyw yn ei chof.

Roedd wedi bwrw eira'n drwm yn ystod y Nadolig hwnnw, a'r tir serth uwchben y cartref yn rhew trosto. Yn anffodus llithrodd Bel, caseg y Brithdir, ar y rhew gan blymio i lawr y llechweddi i'r weirglodd islaw. Roedd wedi cael anafiadau mor ddrwg nes penderfynwyd na ellid gwneud dim rhagor i'w hachub ac fe'i claddwyd ar y tir islaw'r Rali. Ar ddiwedd gwyliau trist y Nadolig hwnnw, penderfynodd Beryl a'i ffrindiau blannu eu coeden Nadolig, sef brigyn o goeden celynnen, uwch bedd y gaseg druan.

Yn 1998, a hithau bellach dros ei phedwar ugain oed, penderfynodd Beryl ymweld â'r hen gartref yn Nhynyraelgarth yng Ngwaun Cwm Brwynog.

Er mawr syndod a phleser iddi, gwelodd fod brigyn y gelynnen, a blannwyd dros ddeg a thrigain o flynyddoedd yn ôl, bellach wedi tyfu'n goeden dal uwch y fan lle claddwyd caseg y Brithdir yn ystod gŵyl Nadolig 1925.

Yn yr uchaf o'r tri thyddyn y ganwyd y bardd Gwilym Peris (William Williams). Symudodd y teulu oddi yno i Landygái pan oedd y bardd yn ugain oed, a chyhoeddwyd llyfr o'i farddoniaeth yn 1813 o dan y teitl *Awengerdd Peris*. Cyfaill iddo oedd Gutyn Peris, ac arferai'r ddau gyd-chwarae ar y llethrau fel y cyfeiriodd mewn cywydd:

> Ymdeithiem i Gwmdwythwch
> I fyny hyd afon Hwch,
> Carwn yn fil cywirach
> Fyd is yn Llanberis bach,
> Boed im gael bwyd a maeth
> Gwiw oror fy magwraeth,
> Gwych dramwy, ac iach dramynt
> Bro gain am hen lwybrau gynt

Yn ei hunangofiant mae Gwilym Peris yn cyfeirio at ei ddyddiau cynnar:

uchod:
Rhai o blant Cwm
Brwynog yn canu i
deithwyr y trên
yng Ngorsaf Hebron, a
chael ambell 'swlltyn' am yr
ymdrech.
(llun: Archifdy Gwynedd)

Carreg fedd John a Mary
Davies, Tynyraelgarth ym
mynwent Nant Peris, a
gerllaw gwelir garreg fedd
fechan yn dynodi bedd y
wyres fach, Gwladus Rhys,
merch (Syr) John Rhys a'i
briod, Elisa.

Ty'nyraelgarth – cartref Michael Pritchard. Yn y weirglodd islaw'r tŷ mae'r 'goeden Nadolig' a blanwyd yn 1925 ar fedd caseg y Brithdir.

Y Brithdir a'r llwybr tros Fwlch Maesgwm i Rhyd Ddu.

Tŷ'nyraelgarth (isaf) – mae'n adfail erbyn hyn.

uchod:
Cae Newydd
cyn y
ffrwydriad.

i'r chwith:
Hysbyseb
mewn papur
lleol.

Cae Newydd wedi'r ffrwydriad.

Teulu Cae Newydd – Awst 1933.

Y bont dros Afon Arddu ger Cae Newydd.

Arthur George
Owen o Hafoty
Newydd. Ysbiwr i
Brydain ac i'r
Almaen yn ystod
yr Ail Ryfel Byd.
Ceir ei hanes yn y
llyfr 'The Game of
the Foxes'.

isod:
'Y Foty' ar ei newydd wedd unwaith yn rhagor.
Gobeithio gorffen yr atgyweirio cyn y gaeaf fel
y gall y teulu ifanc symud i fyw yno gyda hyn,
a phwy a wyr na welir mwg yn dod drwy'r cyrn
unwaith eto, hynny am y tro cyntaf ers
blynyddoedd.
Y ddau sydd yn edmygu'r gwaith yw'r
Parchedig Harri Parri a Geraint Lloyd Owen.

1929.

cwn bach monday
april 29th 1929.

cywion bach Saturday
May 25th 1929.

iar cae [illegible]
cywion Mrs G Roberts wedi
prynu nhw. Tuesday
June 4th 1929.

iar ddu cwnffon gwta,
cywion bach Wensday
July 4th 1929.

iar ddu. cae [illegible]
cywion. bach. [illegible]
Wensday. July 4th 1929.

'PHONE 217.

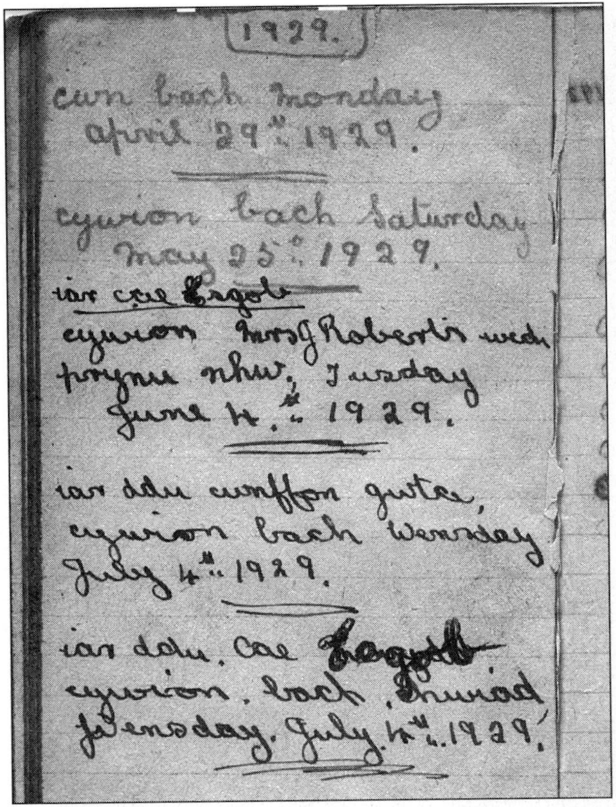

TY'N LLIDIART,
NEWBOROUGH,
ANGLESEY,

May 1944.

M Ty Mawr, Llanberis

BOUGHT OF

OWEN JONES,

HAY, STRAW AND PRODUCE MERCHANT.

13 cwt's	Straw @ 4/6 cwt		2	18	6
5 "	Hay @ 5s. "		1	5	—
5½ "	" @ 10/6 cwt		2	17	9
		£	7	1	3

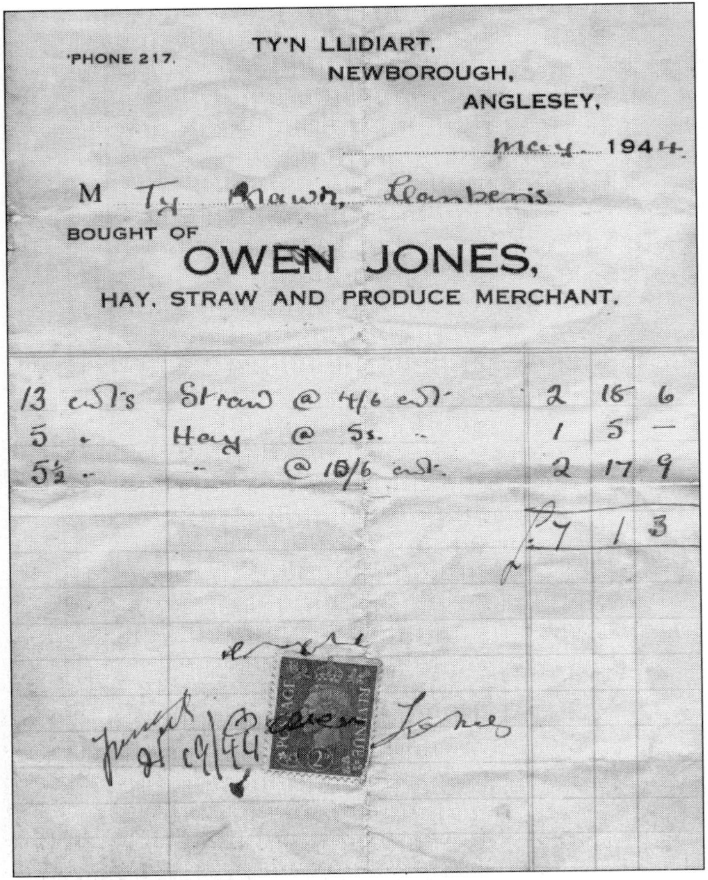

Paid with thanks 21/9/44 Owen Jones

Tudalen o ddyddiadur Mary Roberts, Ty Mawn yn 1929
a thaleb am wair a gwellt i Ty Mawn yn 1944.

Ty Mawn heddiw a Chwarel Dinorwig yn y pellter, o gefn y tŷ.

Edrych draw o dir Ty Mawn i gyfeiriad Cwm Brwynog a'r Wyddfa.

. . . buasai'n hoff gennyf pan yn ieuanc fynd i'r Cwm at y bugeiliaid a'r geifr, y gwartheg hysbion a'r ceffylau a chefais y gair o fod yn fugail da a bûm yn bugeilio yng Nghwm Brwynog ac yn yr Drysgol yn Nant y Betws am y tymhorau haf.

O gwmpas 1931 daeth teulu Evan Lloyd i fyw i Dynyraelgarth – roedd ef, wrth gwrs, wedi ennill bri fel y bachgen bach yn llun enwog Vosper o Gapel Salem yng Nghwm Nantcol.

Fel y soniwyd eisoes, ni chaniatawyd i'r un deiliad gadw mwy o ddefaid ar y mynyddoedd cyfagos nag a nodwyd yng nghytundeb y denantiaeth gyda Stad y Faenol, ac o dro i dro byddai'n ofynnol i gyfrif y corlannau i gadarnhau fod y ffermwyr yn cadw at yr addewid. Er enghraifft, nodwyd ym mis Hydref 1898 mai y nifer canlynol o ddefaid oedd i bori yng Nghwm Dwythwch:

Llwyn Celyn	– 200
Hafod Lydan	– 100
Hafod Uchaf	– 50

Yn 1899, anfonwyd nodyn arall i'r Faenol:

We, the undersigned, certify that the number of sheep gathered and counted on the Cwm Dwythwch sheep walk on the 7th instant are as follows:

Thos W. Rowlands, Tyddyn Newydd Bach	73
Hugh Owen, Hafod Uchaf	49
Thomas Hughes, Hafodty	80
O. D. Jones, Llwyn Celyn	80

Ac yna ceir y frawddeg ddadlennol yma, er gwybodaeth i swyddogion y Stad:

ours were done that date, cannot say about the others
T. W. Rowlands, H. Owen, Thos Hughes, and O. D. Jones

Eto ym 1902, ceir rhagor o dystiolaeth:

I, the undersigned certify that the number of sheep exclusive of lambs gathered and counted on the Cwm Dwythwch sheep walk on the 30th day of June 1902 were as follows:

Ty Newydd bach	109
Margaret Owen	61

Hafod Lydan 114
O. D. Jones 80
(signed) Ellis W. Owen, Hafotty Newydd

Ond ychydig flynyddoedd ynghynt, yn 1886, ymddengys i andros o ffrae godi rhwng rhai o'r tyddynwyr a'i gilydd ynglŷn â'r cyhuddiad fod D. T. Owen, Tynyraelgarth, yn pori mwy na'i siâr o ddefaid ac o'r herwydd fod defaid y gweddill o drigolion rhan isaf o Waun Cwm Brwynog yn dioddef gan brinder bwyd. Hysbyswyd y Faenol o hyn ar Fai 6 mewn llythyr yn enw Owen Roberts, y Brithdir:

> Referring to my last letter to you, I find that I have made a mistake in naming the person I was complaining about.
>
> His name should be David Thomas Owen, Tynyraelgarth and not David Jones Roberts as I called him. Things are the same now as before and my place is over run with sheep belonging to D. Thos Owen and to show that I am not the only one that complains, some of the tenants of adjoining farms will sign this to show they suffer in the same way as myself.
>
> He has over 100 sheep in a piece he should only keep about 49. It is not possible for them to keep so many without trespassing on other people's holdings. I would not mind nor call your attention no matter how many sheep they keep if you would only keep them on their own place and not trespass upon my land.
> We remain,
> Yours obediently,
> Owen Roberts.
> Also signed by John Thos Jones and Ellis T. Pritchard, Tynyraelgarth.

O dderbyn cwyn Owen Roberts, anfonodd Asiant y Faenol lythyr at David Thomas Owen yn gofyn am eglurhad i'r cyhuddiad. Ar Fai 21 1896, atebodd David T. Owen ei lythyr:

> Sir,
> I beg to acknowledge the receipt of your letter re the sheep grazing at the above place. I am sorry that you are under the impression that I am starving my neighbour's sheep. About Sir, that I have sheep over my proper number but they only are waiting for the convenient and profitable time to sell them.
> I am keeping in mind your order when we were last down at the

office and I made away with some of them at the last fair at Upper Vale [Cyfeiriad yw hyn at Ffair Nant Peris neu Nant Uchaf i rai o drigolion yr ardal]. To avoid any dispute I took another place for them during the winter season and paid the sum of fifteen pounds and five shillings. I can produce receipt, there was not a dozen of my sheep on the mountain during the winter and now its only a fortnight since I have turned them to the mountain waiting for the time to sell them.

My neighbour who called to see you at the office and who is at the origin of this dispute brought the complaints against me all through jealousy, to prove it you will allow me to point to the fact that out of 10 of my co-tenants, he could not get more than two to join him in his letter.

As to the sheep that are on the mountain now, I can assure you that they are less in number now than they were five years ago of more than 500. To prove that, Sir, I beg to refer you to the late tenant of Helfa Fain. By your permission, Sir, I will call at the offices on Tuesday and hope to have some discussion on the case, though I am very sorry to trouble you but it is all arising from one of my neighbours who finding that he is not succeeding himself, is trying to ruin a man that is striving hard to get on,

Yours obediently,

D. Thos Owen

Teimladau llosg yn wir, a hynny'n anffodus mewn cymdogaeth oedd yn gymdeithas glòs a chyfeillgar, ond caed amryw enghreifftiau o dro i dro o ffraeo rhwng cymdogion ynglŷn â phorfa'r defaid. Gan mai Stad y Faenol oedd perchennog y tir, ac yn ogystal yn cyflogi'r dynion yn Chwarel Dinorwig, teimlid fod rheidrwydd o bosib i ddefnyddio'r geiriau gwasaidd 'Yours obediently' wrth gloi pob llythyr i'r Faenol!

Ymddengys fod helbul y defaid crwydrol wedi parhau am o leiaf saith mlynedd arall, gan i Asiant y Faenol orchymyn David Thomas Owen a rhai o'i gymdogion i ddod i swyddfa'r Stad yn y Felinheli, ac yno arwyddo'r datganiad isod ar Dachwedd 10, 1903 – datganiad sydd yn dangos fod pump o'i gymdogion wedi eiriol trosto ac wedi ymrwymo nad oedd David Thomas Owen yn torri ei addewid:

David Thomas Owen of Tynyraelgarth, Llanberis has this day promised in the presence of yourself and Ellis W. Owen of Hafotty, Llanberis as follows

(1) He promises to fence the meadow properly and to put a gate by the house.

(2) He promises to repair his share of the mountain wall.

(3) He promises to sell all the sheep that have been in the habit of trespassing the cow pastures.

(4) He promises to have all his sheep counted twice a year, namely at sheep shearing time and again in October. All his partners must do the same. Lambs to be taken off the mountain at Llanberis Fair. Sheep not to be taken off the same grazings before the first of November.

(5) He promises not to keep more than his proper number of sheep, this being fifty.

In consideration of the notice to quit being withdrawn, we the undersigned signatories to the appeal made on behalf of David Thomas Owen, hereby undertake to be responsible for the carrying out of the foregoing promises.

Signed

Thomas Hughes, Hafod Lydan

Hugh Williams, Bryn Coch

Ellis W. Owen, Hafotty Newydd

E. Jones, part Tynyraelgarth

Solomon Davies, Mur Mawr.

Yn naturiol roedd bodolaeth 'newydd bethau' yn gallu amharu ar fywyd dyddiol trigolion y Waun o dro i dro. Un o'r rhai hynny oedd gosod y rheilffordd o Lanberis i gopa'r Wyddfa yn 1895/96, digwyddiad o bwys a dylanwadol iawn gan y byddai synau newydd yn torri ar y tawelwch a channoedd o ddieithriaid yn llygadrythu trwy ffenestri'r cerbydau, er mai ar gyrion uchaf y cwm y gosodwyd y cledrau a'r gorsafoedd.

Ymddengys fod dyddiau cynnar gosod y lein a phresenoldeb cannoedd o weithwyr a arferai fyw mewn cytiau pren symudol ar ochr y lein yn ymyrryd ar fywyd tawel ambell ddyddynnwr, fel y dengys cynnwys y llythyr hwn a anfonwyd gan ymgymerwr y rheilffordd, Mri Holme & King, at Capten Stewart, Asiant Stad y Faenol, ym mis Gorffennaf 1895:

Dear Sir,

In answer to your letter of the 6th instant enclosing a letter from William Owen [Hafoty Newydd, mae'n debyg] which I now return, I have given strict orders about keeping the dogs tied up and should any further complaints be made, I will have them removed altogether. There are only two dogs belonging to the huts.

Yours truly,

Clinton Holme.

Ymyrraeth arall ar fywyd y tyddynwyr oedd presenoldeb y Fyddin yn ystod blynyddoedd cynnar yr Ail Ryfel Byd. Roedd y 'Commandos' fel y'i gelwid yn ymarfer yn ddyddiol ar ddarn o dir islaw Capel Hebron, ac ar derfyn dydd yn dychwelyd i'r gwestai a'r barics yn Llanberis.

Cyfeirio at hyn y mae'r Prifardd Bryn Williams yn ei gerdd:

Heddiw di-hedd yw'r llethrau hyn
Daw sŵn ergydion o fryn i fryn,
Mor anodd gweddïo a moli Duw
A rhu'r magnelau ar ein clyw.

Clywais y diweddar Michael Pritchard yn adrodd stori am y Parchedig J. W. Jones, Conwy – ffefryn mawr i Michael ac i minnau o ran hynny – yn dod i bregethu i Hebron. Er iddo fod yn filwr yn y Rhyfel Byd Cyntaf, fe ddaeth y parchus ŵr yn heddychwr pybyr wedi hynny, ac ar derfyn oedfa yr amharwyd arni gan sŵn y tanio oddi allan, aeth J. W. Jones at un o swyddogion y Fyddin i gwyno. Ymddengys i'r swyddog hwnnw fod yn or-bwysig gan godi gwrychyn y pregethwr, ac meddai, wrth adrodd yr hanes i griw o bobl y tu allan i'r capel: 'Wyddoch chi be, mi fu jest i mi ei sodro fo.' Chwarddai Michael Pritchard bob tro yr adroddai'r stori hon gan ychwanegu . . . 'a synnwn i ddim na fasa fo hefyd'.

Gan fod y milwyr yn tanio ar draws y gweirgloddiau tuag at Dynyraelgarth – yn wir, yr oeddynt yn defnyddio 150 acer o dir i ymarfer ac mae olion o hyn yno hyd heddiw – yr oedd cryn bosibilrwydd i anifeiliaid gael eu saethu ac i'r perwyl hwn llwyddodd Capten Stewart i gael cytundeb gan y Fyddin y byddai iawndal yn cael ei dalu os byddid yn lladd gwartheg neu ddefaid y tyddynwyr.

Ond yn 1942 bu trychineb pan saethwyd un gŵr oedd yn gweithio ar lwybrau'r fro. Yn 1942 roedd Robert Williams o Lanberis yn trin llwybr heb fod ymhell o'r fan lle roedd y milwyr yn ymarfer. Yn anffodus fe'i tarawyd yn ei ben gan fwled un o'r gynnau. Serch hynny, cerddodd adref i Lanberis, ond yn anffodus bu farw o'i anaf. Croniclir yr hanes a'r cwest a fu'n dilyn yr anffawd fel a ganlyn yn y *Caernarvon & Denbigh Herald*:

A labourer named Robert Williams, aged 65, of Ceunant Street, Llanberis was accidentally fatally injured during revolver practice by Army officers in Snowdonia. The deputy Coroner said that officers were firing revolvers in a gully and before starting they carried out an inspection for human beings or cattle but the place seemed clear. After firing some rounds they found the deceased who had been struck and he died later. There were warning notices but he thought that they should be in Welsh as well as English. Death by Misadventure was recorded.

The Officer said that he thought the deceased had been sitting on a ledge and got up when they were shooting. The deputy coroner asked what precautions were taken, and the officer replied 'We all went to the path and looked around to satisfy all was clear. Three of us fired six shots. Then we saw a man walking towards the road with a pick and spade and we stopped firing. We approached him and he had been injured. I think he had been sitting on a ledge and after hearing one or two shots got up and was hit. The ledge was out of sight.

The Doctor said he had a wound behind his left ear.

Os gwir y stori fod Robert Williams wedi cerdded adref wedi'r ddamwain, yna rhaid yw gofyn pam na fyddai'r Fyddin wedi mynd ag ef i'w gartref? Ar y llaw arall, peth od na fyddai'r Crwner wedi gofyn y cwestiwn hwn!

O ddringo'r allt hynod serth o Lanberis, fe fydd pob cerddwr yn dra diolchgar o seibiant ger Penyceunant. Fe losgwyd rhan o'r tŷ rai blynyddoedd yn ôl yn ystod yr ymgyrch llosgi tai haf. Mae ffordd yn arwain heibio'r talcen i Bant y Cafn, lle trigai William Owen, un o selogion yr achos yn Hebron ar ddiwedd y 19eg ganrif.

Tros y ffordd yr oedd plasty Rhys Wyn ap Meredydd a'i fab Siôn ap Rhys Wyn. Dywedir mai o'r Wyniaid hyn y tarddodd Wyniaid Glynllifon. Gerllaw ceir craig Cadair Ellyll lle dywedir fod ysbrydion aflan yn ymddangos o dro i dro. Bu farw Rhys Wyn yn 1600 a denodd edmygedd William Cynfal, Ysbyty Ifan, a gyfansoddodd farwnad ar ei ôl. Ffaith ddiddorol, o gofio presenoldeb y Wyniaid yn y llecyn hwn ar fin y ffordd, yw i un arall o deulu'r Wyniaid ddod o Lanrwst ymhen blynyddoedd lawer i fyw i'r Hafoty, rhyw filltir ymlaen. Y wraig honno oedd Jane Allen Wynne, priod Ellis W. Owen.

Tros grib y graig ac o olwg y ffordd fe erys adfeilion pedwar tŷ a adwaenid fel 'Tai Cwm Brwynog'. Yn wir dyma'r unig dai teras, os dyna oeddynt, yn y Waun. Heddiw, o bosib, fe ellid gofyn pam yr adeiladwyd tai mewn lle mor gorslyd ac anghyfleus. Yng nghofnodion Capel Hebron yn 1886 fe ddatgelir fod teulu un William Williams, Tai Cwm Brwynog, yn hawlio lle i chwech o'i deulu i eistedd yn y capel, ac un Robert Griffith yn talu am le i bedwar. Syndod heddiw yw sylweddoli fod teuluoedd mor niferus yn byw mewn tai mor fychan. Ond, er gwaethaf eu lleoliad, ymddengys fod llawer un yn awyddus i fynd yno i fyw. Ym mis Medi 1894 anfonodd William Edwards, Upper Snowdon Street, Llanberis lythyr at Capten Stewart yn y Faenol i wneud cais am denantiaeth un o'r tai:

Please, I am sending a word to inform you that I have received your letter about the house at Tai Cwm Brwynog. I wish to inform you that I will take it. I would like to have the one that has been empty last because it dont require so much airing.

I am very sorry, Sir, that you are not satisfy [sic] with my character. I dont think I have done any wrong in the quarry nor out either. I did go to America but I am back 2 years.

Please send the key to the house for me as soon as you can so I can go up next week.

Gobeithio i'w gais fod yn llwyddiannus, yn enwedig am iddo fod mor feddylgar yn ei ddewis o dŷ!

Os cerddwn yn bwyllog ar draws y fawnog o'r pant lle saif gweddillion y pedwar tŷ fe gyrhaeddwn dir Penyceunant Uchaf, sydd heddiw'n ganolfan ddringo i ddisgyblion ysgol o ganolbarth Lloegr ac o'r herwydd yn un o'r ychydig anheddau yn y cwm sydd yn dal i sefyll. Ym mis Mai 1916, Owen Williams a'i deulu oedd y tenantiaid; roedd yn awyddus i gynyddu nifer ei wartheg, ond wrth reswm rhaid oedd cael caniatâd y Stad cyn gwneud hynny:

To Mr R F Harding,
Vaynol Estate Office.
I would like to have your permission to graze 3 cows instead of 2 in the Victoria Plantation and am willing to increase the rent to £1.
I remain, your obedient servant,
Owen Williams.

Bu Owen Williams yn flaenor yn y Capel Coch am flynyddoedd ac yn ôl ei Weinidog, y Prifardd R. Bryn Williams, yr oedd hefyd yn 'werinwr da mewn bywyd ac eglwys, diwylliodd ei feddwl a'i ddoniau a gwelwyd ynddo ffrwyth traddodiadol gorau ardaloedd y chwareli'. Ac mewn englyn o waith Glan Rhyddallt a geir ar ei garreg fedd ym mynwent Nant Peris, fe dystiwyd iddo roi:

Cam doeth ym mhob cymdeithas
Ac i'r Iôn bu'n gywir was.

Bellach mae'r Victoria Plantation mor drwchus a thywyll gan goed fel nad oes lle i ddyn nac anifail fynd drwyddo, heb sôn am le i bori, er fod sôn fod rhywun yn awyddus i dorri'r coed.

Yn y Mur Mawr ar un cyfnod y trigai Tomos Dafydd, mab Dafydd ac Elisabeth Jones, merch Hugh Owen o'r Hafod Lydan, y soniwyd amdano eisoes. Heb fod nepell o'r Ceunant Mawr fe geir yn addas iawn y 'Waterfall View', yr unig drigfan yn y darn yma o'r fro ac enw Saesneg arno, a syndod yn wir nad oes ac na fu yr un 'Snowdon View' na 'Mountain View' yn y Cwm nac ar y cyrion. Diolch am hynny!

Yng Nghae Esgob yr oedd Griffith Jones yn byw, y gŵr a fu yng ngofal Capel Hebron am gyfnod; yn wir, ef oedd blaenor cyntaf yr eglwys. Bu farw yn Llundain yn 1881 pan oedd ar ymweliad â'i deulu. Syndod yn wir, o gofio ei gyfraniad helaeth, oedd gweld cyfeiriad ato gan ei weinidog ar y pryd fel 'gŵr cydmarol fychan ei gyraeddiadau a'i amgyffred ond yn ŵr duwiol'.

Tybed nad oedd y gweinidogion cynnar a fu'n gofalu am Hebron yn disgwyl gormod gan wŷr nad oedd wedi derbyn addysg fel hwy, gan roi yr argraff nad oedd y gweinidogion hynny, rai

Capel Hebron a'r Tŷ Capel fel yr oeddynt gynt.

Adfeilion y Tŷ Capel a'r Capel yn 1999.

I'r dde: Ladal y casgliad, Capel Hebron.

isod: Henry Charles Williams, y tu allan i Gapel Hebron (1958) a Beibl y capel yn ei law.
Bu'n flaenor ac organydd y capel am flynyddoedd lawer.

Beddrod teulu'r 'Wheldon' ym mynwent Nant Peris.
Roedd gan y teulu gysylltiad hir a Llwyn Celyn, Llanberis.

Cae'r Fran – ble galwai'r hen drempyn William Hughes.

Hafod Lydan a thomenydd Chwarel Dinorwig.

Yr Hafodydd eraill a Mur Mawr.
Yn y pellter mae Cwm Uchaf a Bwlch y Groes.

NODAU CLUSTIAU DEFAID

Rhai o ddiadelloedd Cwm Brwynog erstalwm. Roedd gan amryw o'r ffermwyr fwy nag un nôd. (Yr isod o hen lyfr nodau defaid y plwyf.)

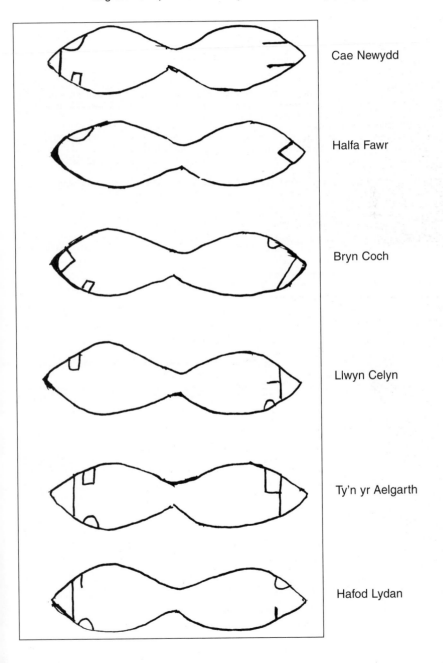

Cae Newydd

Halfa Fawr

Bryn Coch

Llwyn Celyn

Ty'n yr Aelgarth

Hafod Lydan

ADRODDIAD BLYNYDDOL 1943

EGLWYS HEBRONX, Gwaerwmbrwynog, 1943

Annwyl Gyfeillic.1.,

      Da yw medru tystio fod yr achos yn dal ei dir yn ein plith, a bod eto eleni gynnydd yn yr arian sydd gennym mewn llaw. Dymunaf ddiolch i chwi am bob ffyddlondeb a haelioni.

      Collasom un o'n haelodau trwy farwolaeth yng Ngorffennaf, sef John Jones, Penceunant Isaf yn 67 oed. Bugail defaid oedd wrth ei grefft, a llawer o fwynder ei braidd yn ei natur yntau. Meithrinodd feddwl gwreiddiol ar y mynyddoedd, ac yr oedd doethineb y werin ar ei wefusau. Adnabu'r "Bugail Da a roes ei einioes dros y defaid". Cydymdeimlwn yn ddwys a'i weddw a'i deulu yn eu profedigaeth, a dymunwn iddynt nawdd Duw. Estynwn groeso'r Eglwys i Mrs Jones a Margaret, Penceunant Isaf, ac anfonwn ein cofion gorau at Arthur.

      "Duw, a phob daioni".

           Yn gywir,

Ebrill 6-1944   R Bryn Williams

Ystadegau Cyffredinol

Gweinidog I, Blaenor I, Aelodau 20, Plant 8, Gwrandawyr I

Cyfrif Ariannol

Derbyniadau		Taliadau	
Mewn llaw I/I/43	24.I3.o	Weinidogaeth a Bugeiliaeth	27. 5.o
Weinidogaeth a Chasgliad rhydd	I5.I0.½	Rhent ac Yswiriant	I4.6
Eisteddleoedd	2.I0.o	Yr Ysgol Sul	I.II
Diolchgarwch	I3.I2.3	Cartref Bontnewydd	I9.o
Cartref Bontnewydd	I9.o	Y Gronfa Ganolog	2.6.o
Casgliad Chwarterol	I. 4.o	Casgliad Misol	7.8
Grant y Cyfarfod Misol	7.I0.o	Cyfarfod Dosbarth	9
	£65.I8.3¾	Sieciau	5.o
		Mewn llaw, 3I/I2/43	33.I8.5½
			£ 65.I8.3½

Cyfraniadau 1943

	Weinidogaeth	Diolch:	Eist:	Chwar:	Cyffan
Parch R Bryn Williams, Bron-y-graig	I. 0.0	I. 0.0		2.0	2.2.0
H C a J Williams, Llwyncelyn	I. I.0	2. 0.0	6.0	4.0	
John David Williams, "	I0.0	I5.0		2.0	
Gwylym Charles Williams "	2.6	5.0			5. 5.6
Alice Jones, Penceunant	I5.0	I. 0.0	6.0	2.0	2. 3.0
Jane E Jones "		I0.0			
Alice Jones "		2.0			
Margaret Jones "		2.0			I4.0
R H ac Ellen Williams, Hafod Lydan	I. 8.0	I0.0	I2.0		2.I0.0
E O ac M O Williams, Helfa Fawr	I.I0.0	I0.0		4.0	2. 4.0
Catherine E Roberts, Cae Newydd	I0.0	I0.0	I0.0	2.0	
Robert J Roberts, "	I0.0	I0.0	I0.0	2.0	
Mair L Roberts, "	I0.0	I0.0		2.0	4. 6.0
Henry a Mary Roberts, Ty Mawn	I. 0.0	I.0.0			
Nell Roberts "	3.6	3.6			
Catherine Ann Roberts "	3.6	3.6			
Dilys Mai Roberts, "	3.6	3.6			3. I.0
L L a Maggie E Williams, Cae Esgob	I. 2.6	I.I0.0	6.0	4.0	
Jean Lloyd Williams, "	6.0	I0.0			3.I8.6
W H a Jane Jones, Brithdir	I. 0.0	I0.0			
xxx Arthur W Jones "	2.6				
John O Jones, "	2.6	5.0			
Peggy Jones, "	2.6				
Sarah E Jones, "	2.6				2. 5.0
Pricilla Jones, Pant y Cafn	2.0				2.0
John M Jones, "					
Mrs Morris, Mur Mawr	5.0	5.0			I0.0
R J Williams, Llainwen		2.6			
John Henry Williams, "		2.6			5.0
Mrs Wood, Llainwen		5.0			5.0
Man Roddion	.8	7.9			8.5
Casgliad rhydd bob Sul	2.I6.I0½				2.I6.I0½
	£I5.I0. 0½	£I3.I2.3	50.0	24.0	132.I6.1

Y gynulleidfa tu allan i Gapel Hebron, Gwaun Cwm Brwynog,
nos Lun, Gorffennaf 7, 1958 – noson cyfarfod Datgorffori'r Eglwys,
gyda'r Parchedigion J. P. Davies ac Alwyn Parry ar y dde.

(llun: 'Y Cymro')

Gwae ddyfod dydd dy ddiweddu
yng Ngwauncwmbrwynog,
a dyfod o'r gwynt i gwyno'i alargan
i'r cymun a fu.

Eithr erys hyd awr fy niweddu
atgofus dangnefedd dy gwmniaeth,
ac ni thau y lleisiau
a lŷn wrth dy furiau briw.

R. Bryn Williams

ohonynt beth bynnag, o'r un anian â chwarelwyr a thyddynwyr gwerinol Gwaun Cwm Brwynog? Yr oedd agwedd y gweinidogion a ddaeth yno o droad y ganrif ymlaen yn llawer mwy cymdeithasol, ac yn eu hadroddiadau blynyddol yn dangos llawer mwy o gydymdeimlad a theyrngarwch tuag at eu haelodau.

Yn sicr mae yr enw Adwy'r Waun yn gweddu i'r tŷ oedd yr aneddle agosaf i Gapel Hebron. Yn anffodus mae ei gyflwr wedi gwaethygu, a bellach nid yw'r sôn fod rhywun am ei atgyweirio a dod yno i fyw yn ddim ond breuddwyd. Yn naturiol, cysylltir Cae Esgob â'r Esgob Godfrey Goodman, gŵr a anwyd yn nhref Rhuthun yn 1582. Yn ôl y sôn, un o'i hynafiaid a fu'n gyfrifol iddo gael y cyfenw Goodman, a hynny oherwydd ei haelioni i'r tlawd. Dringodd y Goodman ifanc drwy wahanol swyddogaethau yr eglwys nes ei ddyrchafu'n Esgob. Roedd yn ŵr cyfoethog a phrynodd y Tŷ Du a'r Coed Mawr yn Llanberis, er nad oes sicrwydd iddo ymweld â'r pentref yn gyson. Yn ei ewyllys neilltuwyd swm o arian i gynorthwyo'r tlodion. Cedwir y cysylltiad drwy i un o strydoedd y pentref gario ei enw, sef Stryd Goodman.

Yr oedd dau dŷ yn y cwm yn gysylltiedig â dyletswyddau'r deiliaid sef Tŷ Stesion (yn gysylltiedig â rheilffordd yr Wyddfa) a'r Tŷ Capel (oedd ynghlwm â Chapel Hebron). Un a fagwyd yn y Tŷ Capel oedd Priscilla Williams wedi i'r teulu symud yno o Dde Cymru yn 1921. Mae stori yr ymfudo i Eryri yn anhygoel bron. Daeth sipsi i ddrws ei chartref yn un o gymoedd y De, a'i thad yn ei gyrru oddi yno'n ddigon swta, ond meddai'r sipsi cyn ymadael, 'Mi fydd rhywbeth yn digwydd yma gyda hyn, a mi'r ydwi'n gweld rhyw fynydd mawr ac mae yna dŷ yn disgwyl amdanoch'.

Yn wir, ymhen tridiau lladdwyd tad Priscilla gan gwymp yn y lofa ac wedi'r brofedigaeth aeth y teulu at berthnasau yn y Gogledd. Tra oeddynt yn aros yn Llanberis, clywodd Mrs Jones, y fam, fod angen teulu i ofalu am dŷ Capel Hebron ar lethrau'r Wyddfa, a bu ei chais am y denantiaeth yn llwyddiannus. Daeth proffwydoliaeth y sipsi yn wir!

Dychwelodd y teulu i'r De i bacio'r dodrefn a'r eiddo ac yn ôl i Lanberis ar fyrder a thrwy barodrwydd rheilffordd yr Wyddfa cludwyd y dodrefn ar y trên i orsaf Hebron gerllaw'r cartref newydd. Ond nid hawdd oedd magu'r teulu gan mai dim ond unwaith y mis y derbyniai'r fam arian prin yr iawndal o'r lofa ac yr oedd yn rhaid iddi hi gynnal pedwar ar hwnnw. Yn wir, yr oedd bywyd mor galed fel na fedrai Mrs Jones fforddio mwy na brechdan margarîn yn unig i'r plant fwyta amser cinio yn yr ysgol. Cofia Priscilla Williams am un bore Nadolig yn gwawrio a dim un geiniog wedi dod oddi wrth awdurdodau'r lofa, gyda'r canlyniad mai yr oll oedd i ginio Nadolig oedd y frechdan margarîn arferol. Ond daeth neges o'r Brithdir islaw – yn ôl yr arfer, gosodwyd lliain gwyn ar goeden ddrain – fod angen i rywun ddod i'r Brithdir i gyrchu parsel o fwyd yr oedd Arthur y mab wedi dod gydag ef o Fanceinion. Ac yn sgil hynny fe gafwyd Nadolig i'w gofio.

Wrth gwrs, un o ofynion byw yn y Tŷ Capel oedd gofalu am anghenion y pregethwyr a ddôi i Hebron. Un pnawn Sul cyrhaeddodd y pregethwr yn wlyb at ei groen, gan ofyn i fam Priscilla tybed a oedd modd cael benthyg trowsus ei gŵr i'w wisgo yn yr oedfa. Atebodd hithau mai gwraig weddw oedd hi ac nad oedd trowsus dyn yn y tŷ. Gan nad oedd y pregethwr yn rhy awyddus i wisgo'r trowsus gwlyb drwy oedfa'r pnawn Sul hwnnw, penderfynodd nad oedd ganddo unrhyw ddewis ond gwisgo sgert Mrs Jones amdano, gan fynd i'r capel ymhell cyn dechrau'r oedfa rhag i neb o'r gynulleidfa ei weld yn y wisg anarferol. Yn wir, arhosodd yno nes bod y gynulleidfa wedi ymadael ar derfyn y gwasanaeth!

Dro arall, cerddai Priscilla a'i mam adref o Lanberis un pnawn Sadwrn, a ger Cae Esgob cafwyd sgwrs â gwraig leol, gan ddweud wrthi fod y ddwy yn dra sychedig ar ôl cerdded yr allt serth o Lanberis. Aeth y wraig gymwynasgar i'r tŷ a dychwelyd gyda photel yn ei llaw a dweud wrth Mrs Jones am iddi hi a'r ferch yfed ychydig o'r ddiod ar eu ffordd adref a chadw'r gweddill tan y diwrnod canlynol. Wedi cyrraedd Tŷ Capel roedd y ddwy nid yn unig yn flinedig ond hefyd yn dra chysglyd; yn wir, buont yn cysgu hyd brynhawn drannoeth, a deffrodd y fam wrth glywed sŵn canu yn dod o'r capel yr ochr arall i'r wal. Pan gyfarfu â'r wreigan adroddodd yr hanes wrthi, a chwarddodd honno o sylweddoli iddi roi y botel anghywir i dorri eu syched – roeddynt wedi yfed cynnwys y botel yr arferai'r wraig ei roi i'w gŵr i'w dawelu pan fyddai hwnnw wedi meddwi!

Y rhent blynyddol am fyw yn y Tŷ Capel oedd swllt, ac yn ychwanegol disgwylid i Mrs Jones fod yn gyfrifol am brynu'r paraffin i oleuo lampau'r capel. Yn ffodus, byddai gwŷr y trên yn taflu ambell lwmpyn o lo o dro i dro ar eu cyfer ac yn y gaeaf cynhesid y tŷ gan wresogydd y capel a thrwy losgi mawn ac eithin.

Gan fod digonedd o'r grug o'u cwmpas, arferai'r plant gasglu ger gorsaf Hebron yn yr haf i werthu'r grug i'r 'bobl ddiarth', er mai yr unig eiriau Saesneg a ddôi o wefusau'r plant yn amlach na pheidio oedd 'yes' a 'no'. Byddai'r sylltau a gesglid drwy'r haf wrth werthu grug yn fodd i Priscilla brynu pâr o esgidiau newydd ar gyfer y gaeaf.

Adroddodd Priscilla stori ryfeddol ynghlwm â gwerthu'r grug. Ymddengys un diwrnod i wraig ar y trên roi cymaint â hanner coron iddi am dusw o'r grug. Gwraig o Lundain oedd y wraig haelionus, ac yn ôl pob ymddangosiad wedi cymryd piti ar y ferch fach yng ngorsaf Hebron. Ymhen wythnos, cyrhaeddodd parsel yn llawn o anghenion plentyn i'r Tŷ Capel. Dywedodd un o weithwyr y lein fod y wraig a roddodd hanner coron i Priscilla wedi holi'r gweithwyr am gefndir y ferch fach, a hi oedd wedi anfon y parsel tra derbyniol i Dŷ Capel Hebron.

Aeth blynyddoedd heibio, a Priscilla erbyn hyn yn briod ac wedi symud i fyw i'w chartref newydd ym mhentref Dinorwig. Un diwrnod, clywodd gnoc ar y drws a gwelodd wraig ddieithr yn sefyll yno gan ofyn, 'Excuse me, I'm looking for a Priscilla Jones; do you know where she lives?' Wedi sylweddoli ei bod wedi llwyddo i ailgysylltu â'r ferch fach a roddodd dusw o'r grug iddi flynyddoedd ynghynt yng ngorsaf Hebron ar lethrau'r Wyddfa, rhedodd yn ôl i'r ffordd ger y tŷ at ei gŵr gan weiddi'n fuddugoliaethus 'I've found her! . . . I've found her!'

Ond profiad pur wahanol a gafodd mam Priscilla yn ystod blynyddoedd y rhyfel pan nad oedd ond y hi a'i mab John yn byw yn y Tŷ Capel. Gweithiai John yn Chwarel Dinorwig, a byddai'n ofynnol iddo adael cartref cyn chwech o'r gloch y bore. Wedi iddo fynd, arferai ei fam ollwng y ci bach allan i'r cae cyfagos cyn iddi hithau fynd yn ôl i'r gwely. Ond un bore cafodd andros o sioc o weld mwnci'n rhedeg ar ôl y ci bach, a hwnnw'n amlwg mewn ofn dirfawr.

Llwyddodd Mrs Jones i gael y ci bach yn ôl i'r tŷ, ond yn anffodus daeth y mwnci i mewn hefyd ac wrth geisio'i hel allan fe frathodd Mrs Jones yn ei braich. Bu'n gorwedd ar lawr y gegin am oriau yn teimlo'n bur simsan, ac yno yr oedd pan ddaeth John y mab adref o'r chwarel. Erbyn hyn roedd ei braich wedi chwyddo a hithau mewn dirfawr boen. Pan ddywedodd mai mwnci a'i brathodd, credai John ei bod yn colli arni ei hun, ond wedi gweld ôl dannedd y mwnci ar ei braich aeth John am y feddygfa yn Llanberis i gael moddion i leihau ei phoen.

Nid oedd y meddyg yn coelio'r stori'n llwyr, ond rhoddodd foddion iddo roi ar fraich ei fam, ac ymhen tridiau roedd wedi gwella. Bu'r mwnci'n creu helbulon i ffermwyr Gwaun Cwm Brwynog am wythnos neu ragor, nes i un ohonynt ei gornelu a'i saethu'n farw. Yn naturiol, roedd pawb yn gofyn o ble y daeth mwnci i dresmasu ar lethrau'r Wyddfa. Yn wir, credai Mrs Jones ei hun, gan gofio mai yn ystod blynyddoedd y rhyfel oedd hi, 'mai'r Jermans 'na oedd wedi ei ollwng o efo "parachute" i greu llanast'.

Ond merch un o dai y Byng yn Llanberis ddaeth â'r mwnci i droed yr Wyddfa. Roedd hi'n forwyn i gapten llong yn Lerpwl, ond nid oedd ei briod yn or-hoff o'r mwnci na'i arogl a phenderfynodd fod yn rhaid cael gwared â'r creadur. Ond nid oedd y forwyn yn hoffi'r syniad a dywedodd yr âi ag ef adref i Lanberis. Ac felly y bu, nes iddo ddianc un diwrnod a hel ei draed i fyny llwybr yr Wyddfa am Benyceunant a Thŷ Capel Hebron.

CAPEL HEBRON

Fel y soniwyd droeon eisoes, Capel Hebron oedd canolfan grefyddol a chymdeithasol Gwaun Cwm Brwynog. Yno y dôi'r teuluoedd at ei gilydd ar brynhawn Sul i addoli, a chyda'r nos ganol yr wythnos byddai'r plant yn tyrru'n gynffonnau hir ar draws y gweirgloddiau gyda'u lanterni i'r Gobeithlu, dosbarth darllen ac ymarferiadau canu o dan ddisgyblaeth teulu Bryn Coch.

Yn ôl William Hobley, fe adeiladwyd y capel yn 1833, er fod ambell ŵr arall am fynnu mai 1835 oedd y flwyddyn dynged-fennol. Cyn hynny, arferid cynnal gwasanaethau yn Nant Ddu a'r Hafodty. Y fam eglwys oedd y Capel Coch yn Llanberis, a sefydlwyd yr eglwys yn Hebron yn 1859. Enw gwreiddiol yr addoldy oedd 'Ysgoldy'r Waun' ond mynnodd y Parchedig John Jones, Talysarn mai 'Hebron' ddylai'r enw fod, ac felly y bu.

Y gwŷr a fu'n gyfrifol am gychwyn yr Ysgol Sul yn Nant Ddu oedd William Morgan, yr Helfa Fain, William Siôn, Bryn Coch a Michael Jones a Robert Ellis. Fel y cynyddai nifer aelodau yr Ysgol Sul, aeth Nant Ddu yn rhy fychan ei faint; adeiladwyd Capel Hebron ar brydles o 99 mlynedd a'r rhent i'r Faenol yn swllt y flwyddyn. Mesurai'r capel wyth llath wrth saith llath ac ar y dechrau meinciau culion oedd o'i fewn, ond yn 1850 bu cryn atgyweirio a rhoddwyd un ar hugain o seddau cyffyrddus yn eu lle, fel y byddai bron i gant o gynulleidfa yn gallu eistedd o'i fewn. Ar y llawr gosodwyd cerrig melin, y rhain yn rhodd gan ŵr anhysbys, ac ynghrog o'r nenfwd yr oedd seren bres a chwe channwyll. Yn ogystal gosodwyd pulpud newydd wedi ei addurno â dwy ganhwyllbren eto o bres. Yn wir, erbyn dydd yr agoriad yr oedd pob ceiniog o gost adeiladu'r capel wedi ei thalu –

a'r weithred hon yn dangos cymaint oedd sêl a brwdfrydedd trigolion Cwm Brwynog i sefydlu addoldy naw can troedfedd uwchlaw'r môr yn unigeddau Eryri.

Yn 1870 cafwyd y gweinidog cyntaf ar yr eglwys, sef y Parchedig J. O. Jones, a oedd hefyd yn fugail yn y Capel Coch. Wedi cyfnod fel arweinydd y gân yn yr eglwys honno, daeth Siôn Williams, Bryn Coch, yn naturiol i arwain y gân yn Hebron ac yno mabwys-iadodd ei ddawn arbennig i alluogi'r gynulleidfa i ganu'r pedwar llais yn ddidrafferth. Yn aml disgrifiwyd Capel Hebron fel 'nyth dryw yng nghesail yr Wyddfa, yn glyd ac yn gynnes'. Ychydig cyn diwedd y ganrif bu i ddau o furiau'r capel ogwyddo'n weddol ddrwg ac roedd yn rhaid eu sythu ar fyrder ar gost o £70. Cyfrannwyd y swm o ddeugain punt at y gost hon gan Robert Davies, Treborth, ger Bangor, gŵr y llongau na wyddys ei gysylltiad â Hebron. Y flwyddyn 1887, o bosib, oedd penllanw aelodaeth y capel gyda hanner cant o oedolion ac wyth ar hugain o blant yn aelodau ac yn ogystal 'un ar ddeg o wrandawyr' – cyfeiriad, efallai, at garedigion yr achos.

Yn nhreiglad y blynyddoedd daeth canu cynulleidfaol Hebron yn adnabyddus ymhell tu hwnt i ffiniau'r Cwm, ac yn ystod gweinidogaeth Ieuan Gwyllt yn y Capel Coch y gynulleidfa gerddorol yn Hebron fyddai'r cyntaf i ymarfer ei donau. Fe soniwyd eisoes am gyfraniad ac ymrwymiad hynod teulu Bryn Coch i lwyddiant y canu, a dyma ddisgrifiad un gweinidog o'i gyhoeddiad yn Hebron:

Ar y dde yn yr hen addoldy yr oedd hen ŵr – Dafydd Jones, Cae Esgob oedd hwnnw – yn canu alto. Yr oedd fel cacwn mewn bys coch, ei lais yn grynedig ac yn goglais tannau calon dyn. Ar y chwith yr oedd gŵr cydnerth ac yn gwargrymu. Yr oedd ei lais yntau yn crynu ac yn tueddu i fod yn gras ond yn llawn o fiwsig. Canai'r bâs i'r holl gynulleidfa. Gruffydd Jones, Cae Esgob oedd hwn. Ar y dde wrth ochr y Sêt Fawr yr oedd Siôn William, Bryn Coch yn fyw gan drydan. Canai fâs weithiau gan daflu ei lygaid at Gruffydd Jones, bryd arall canai denor, gan dremio at rywrai yn y gynulleidfa. Taflai drem dro arall at y llanc ieuanc oedd yn arwain y sopranos, yr hwn oedd yn pyncio fel y fronfraith ar gainc ar fore teg o wanwyn. Hugh John Williams, nai Siôn William oedd hwn a'r gwragedd a'r merched ifanc gyda'u lleisiau melysion yn gwneud y lle yn fôr o gân nes peri i ddyn anghofio ei hun yn llwyr a hollol.

Yn ôl yr hynafiaethydd lleol William Williams, Bod y Gof, cerdded trwy Ddrws y Coed ac yna dros Fwlch Maesgwm y byddai'r Parchedig John Jones, Talysarn pan oedd yn pregethu yn y Capel Coch a Hebron, ac ar hyd yr un llwybr mynyddig yr âi adref drachefn. Soniai John Wheldon, Llwyn Celyn fel y byddai ef a Siôn William, Bryn Coch yn arfer danfon y cennad i ben y bwlch uwch Rhyd Ddu. Oherwydd mynych eistedd i sgwrsio a chanu tonau newydd o waith John Jones, byddai'r daith yn hir ac, yn ôl William Williams, 'bu y dôn boblogaidd *Tanycastell* [gan John Jones] yn cael ei chanu yng nghwm y Maesgwm gan y tri'.

Yn ddiamheuol, roedd trigolion Cwm Brwynog yn gefnogol iawn i holl weithgareddau'r capel. Soniai llawer am gynffon o 'lanterni stabal' yn ymlwybro'n igam-ogam ar hyd y gwahanol lwybrau ar draws y gweirgloddiau i'r capel yn y gaeaf i fynychu'r 'Band of Hope' a'r gwahanol ddosbarthiadau eraill, ac ambell oedfa fin nos o dro i dro, er mai ar brynhawn Sul y cynhelid y gwasanaethau arferol. Yr oedd cynifer o blant yn aelodau yn y Capel ar un cyfnod fel y bu modd cyflwyno 'Cantata'r Adar' yn y capel. Hoffais yn fawr un sylw a ddaeth i'm clustiau, sef fod ambell un yn ail-oleuo ei lantern o fflam un o lampau'r capel cyn troi yn ôl am adref. Dyna beth oedd cadw'r fflam ynghynn!

Dywedir fod y Parchedig John Roberts (Ieuan Gwyllt) yn dynesu un prynhawn at gapel Hebron yn ddiarwybod i'r gynulleidfa. Poenai'n arw a fyddai cynulleidfaoedd Cymru yn gallu canu ei donau, a gofynnai'n gyson iddo'i hun: 'pa fodd y gallaf ddisgwyl i gynulleidfa fel hon ganu'r tonau a roddais yn y llyfr?' Ond fel y nesâi at y capel a chlywed y canu, sylweddolodd mai un o'r tonau mwyaf estronol, sef *Mannheim*, a'r emyn

> Am graig i adeiladu
> Fy enaid chwilia'n ddwys

a genid gan y gynulleidfa yn Hebron. Arafodd mewn syndod y tu allan i'r capel gan ddweud wrtho'i hunan nad oedd ganddo le i boeni mwyach, ac y byddai ei donau yntau yn siŵr o gael derbyniad cyffelyb. Fel eraill, yr oedd Ieuan Gwyllt yn gyson ei edmygedd o Hugh Williams, Bryn Coch, gan gydnabod dro ar ôl tro ei gyfraniad clodwiw i ganiadaeth y capel. Pan glywai Hugh Williams am y ganmoliaeth, ei ateb fyddai 'O'i gael gan Ieuan Gwyllt, mae hynny yn rhywbeth i'w drysori'.

Ceir aml i stori am y gwahanol bregethwyr a arferai ddod i'r addoldy uchel ar lethrau'r Wyddfa. Cynhelid cyfarfodydd pregethu yno'n flynyddol gyda rhai o 'hoelion wyth' yr enwad. Bryd hynny, yng ngwres yr haf, roedd yn ofynnol gosod meinciau y tu allan gan fod cynifer y tu allan ag oedd y tu mewn.

Un o'r pregethwyr enwog oedd y Parchedig John Williams, Brynsiencyn, ac ar un prynhawn crasboeth ac yntau'n weddol lluddedig wedi cerdded i fyny o Lanberis, penderfynodd wrth nesáu at y capel nad oedd am bregethu'n hir iawn. Wedi cael ei wynt ato, esgynnodd i'r pulpud gan ledio'r emyn 'Mawr oedd Crist yn Nhragwyddoldeb'. Ac meddai wrth gyfaill wedi'r oedfa:

Yn wir, cyn i'r gynulleidfa orffen canu'r pennill cyntaf yr oeddwn wedi fy nghyfareddu a phenderfynais yn y fan a'r lle roi iddynt fy mhregeth orau un. Wyddoch chi, os na fedrwch chi bregethu yn Ysgoldy'r Waun, yna mae ar ben arnoch chi.

Un a fu'n cymeradwyo canu'r capel oedd y Parchedig H.D. Hughes, yn ei lyfr hynod ddiddan *Y Chwarel a'i Phobl*:

Perthyn i'r hen gapel bach draddodiadau gwych a hanes rhamantus iawn. Byddai prif bregethwyr y Cyfundeb yn edrych ymlaen at gael mynd i'r lle hwn i bregethu'n flynyddol er mwyn clywed pobl syml y Waun yn canu. Arweinydd y gân oedd Hugh Williams, Bryn Coch, a adnabyddid fel Huw Peris, a chredai aml i bregethwr mai Huw Peris oedd brenin arweinyddion y gân. Clywais ddadlau fwy nag unwaith ai o ynte Cadwaladr Jôs, Cwm Penmachno, oedd y brenin.

Ni chafodd pregethwr erioed gerdyn post oddi wrtho yn gofyn am emynau erbyn dydd Iau cyn y Sul. Roedd yr hen frawd yn feistr ar ei waith. Gwyddai pob tôn yn y llyfr, a phan roddid emyn allan gwyddai pa dôn a weddai i'r geiriau. Ambell dro, fe newidiai'r dôn ar ganol emyn. Clywais am bregethwr yn rhoi'r emyn 'Ymddiriedaf yn dy allu', a Huw Peris, pan ddaethpwyd at y pennill olaf, yn codi ei law a throi at y cyfeilydd wrth yr 'harmonium' a gweiddi 'Sanctus, rŵan, Tom'.

Mawr hyderaf y cedwir hen 'harmonium' Ysgoldy'r Waun tra deil ei anadl ac wedi iddo ddarfod ei waith, cymered rhywun drugaredd arno. Y mae 'harmonium' Ysgoldy'r Waun yn haeddu parch, gwnaeth ddiwrnod da o waith. Bu'n help i hen saint syml Waun Cwm Brwynog ganmol eu Gwaredwr mewn sain, cân a moliant.

Tybed a gymerodd rhywun drugaredd ar yr hen offeryn? Bu'r Parchedig D. Morgan Richards yn gweinidogaethu yn Hebron am saith mlynedd ac ymadawodd yn 1904 i fod yn weinidog eglwys Utica yn Efrog Newydd. Fe'i dilynwyd gan y Parchedig Thomas Lloyd, a'r gynulleidfa bryd hynny'n cynnwys 44 o oedolion a 33 o blant. Ond ymddengys fod arwyddion rhywfaint o ddifaterwch yn eu hamlygu eu hunain, oherwydd yn yr Adroddiad Blynyddol am 1912, mae'r gweinidog yn cofnodi un digwyddiad fel hyn:

Anodd gwybod sut mae'r hin yn y Waun. Ni ddaeth neb ataf er i mi gerdded i fyny yno ddwywaith.

Mae bwrw trem ar gofnodion ambell weinidog a blaenor y capel tros y blynyddoedd yn rhoi cip ar fywyd crefyddol a chymdeithasol y Waun. Ymddengys fod y tywydd a'r dyletswyddau amaethyddol wedi amharu'n aml ar yr oedfaon:

1870
Adeiladu Ty'n yr Ardd. Jane Williams y deiliad yn aelod, ond ei gŵr William heb dywyllu tŷ o addoliad.
1871
Atgyweirio y capel a'r tŷ ar gost o £300.
Ionawr 25 1878
Dim ond un ar ddeg yn bresennol oherwydd gerwinder yr hin. Diweddwyd gan William Owen, Pant y Cafn, oedd wedi cerdded cryn bellter er gwaetha'r tywydd. Ugain munud barhaodd y cyfarfod.
1880
Talu'r £50 olaf o ddyled ar ôl atgyweirio'r capel.
Mawrth 1af 1886
Dydd Gŵyl Ddewi. Storm fawr o eira na welwyd mo'i chyffelyb ers ugain mlynedd. Ni ddaeth neb i'r Seiat.
Ebrill 8 1888
Oherwydd prysurdeb gyda'r defaid cynhaliwyd cyfarfod eglwysig ar ôl y cyfarfod gweddi nos Saboth.

Coffhad serchus iawn am William Owen, Pant y Cafn.

Holwyd Richard a John Williams, yr Helfa Fawr a John Williams, yr Helfa Fain ar y 14eg bennod o'r Hyfforddwr ac adroddodd y ddau flaenaf hi yn rhagorol a'r diwethaf heb fod cystal. Rhoddwyd wythnos iddo i'w dysgu yn well.

[Chwarae teg i John Williams, yr Helfa Fain; ymhen y mis roedd yntau wedi ei dderbyn yn gyflawn aelod yn Hebron fel y ddau arall.]

Ionawr 7 1889

Teimlir boddhad mawr gyda'r 'harmonium' newydd a ddaeth yma ddydd Mercher, yr ail o Ionawr, gwerth 35 gini, ond trwy garedigrwydd D. P. Williams fe'i cafwyd am saith bunt ar hugain a deg swllt, yn cynnwys y cludiad o Lundain i Hebron ac am hyn cyflwynir ein diolchgarwch mwyaf gwresog.

Awst 10 1890

Ni ddaeth y pregethwr oherwydd gerwinder y tywydd.

Ebrill 15 1894

Y bregeth ar fore'r Saboth achos prysurdeb gyda'r defaid.

Ionawr 13 1895

Lluwchfeydd eira fel nad oedd yn bosib agor drws y capel.

Mehefin 25 1895

Ni ddaeth neb at ei gilydd ond tri oherwydd prysurdeb paratoi at gneifio'r defaid.

1896

Bedyddiwyd tri phlentyn.

Ionawr 31 1897

Anfonodd William Owen, Hafotty Newydd gais oddi ar ei glaf-wely o dan afiechyd peryglus am gael dyfod yn aelod. Derbyniwyd ei gais gyda sirioldeb mawr.

Y Parchedig J. O. Jones oedd yn gyfrifol am y cofnodi cynnar, ond yn 1897 ymddeolodd o'r weinidogaeth wedi saith mlynedd ar hugain yn weinidog yn y Capel Coch a Hebron. Yn ystod y cyfnod hwn, yn ôl yr ystadegau, fe fedyddiodd 61 o blant a gweinyddu mewn 13 o briodasau yn Hebron, ond ni fedyddiwyd yr un plentyn yn 1897.

1897

Dim dyled, ond nid yw y capel wedi ei insiwrio rhag tân!

Mehefin 9 1907

Cyfarfod pregethu gyda dau gennad, sef y Parchedigion Richard

Morris, Dolgellau a'r Dr John Williams, Brynsiencyn. Cynulliad tra lluosog fel bod rhai yn sefyll yn y glaw y tu allan.

1914-1918

Aeth rhai o feibion y Cwm i'r Fyddin a chyda llawenydd y bu dathlu'r 'Armistice' ac mae'r bechgyn bellach yn ôl a'u dyfodiad wedi sirioli llawer arnom.

1925

Y boblogaeth yn dal i leihau. Nid oes heddiw ond deg teulu yn mynychu'r oedfaon ond erys rhif yr aelodau yn 30 gyda 14 o blant. Atgyweirio cloc y capel am y gost o ddau swllt a naw ceiniog. [Ai arwydd o ffydd i'r dyfodol oedd atgyweirio'r cloc, tybed?]

1926

Y Chwalfa yn dechrau. Amryw o deuluoedd mawr eu maint wedi symud o'r Cwm. Teulu Hafotty Newydd wedi mynd i Gwrt Isaf, Cwm Pennant.

Mae'r ystadegau isod o nifer aelodaeth Capel Hebron yn fodd i sylwi nid yn unig ar boblogaeth Cwm Brwynog, ond hefyd ar faint y mudo a fu o'r Cwm rhwng 1870 a 1955.

1870 – 36 oedolyn ac 20 o blant
1878 – 41 a 30
1887 – 50 a 28
1896 – 40 a 35
1904 – 44 a 33
1912 – 38 a 15
1916 – 26 a 14
1925 – 30 a 14
1928 – 25 a 5
1930 – 30 a 6
1955 – 15 a 2

Bu i'r eglwys chwe gweinidog rhwng 1870 a 1958, sef y Parchedigion J. O. Jones, D. Morgan Pritchard, Thomas Lloyd, J. P. Davies, R. Bryn Williams a J. Alwyn Parry.

Yn 1928 y daeth y gŵr addfwyn hwnnw, y Parchedig J. P. Davies, yn weinidog ar y Capel Coch a Hebron, ac o'r cychwyn ceir yr argraff ei fod wedi toddi i mewn yn ddidramgwydd i'r gymuned fechan yng Ngwaun Cwm Brwynog; er hynny, lleihau oedd y gynulleidfa ac amryw o'r tyddynnod bellach yn wag. Ond yr oedd y Gobeithlu a'r Gymdeithas Lenyddol yn ffynnu. Ym mis Awst 1935 pregethodd y Parchedig J. P. Davies ei bregeth olaf yn Hebron, ac nid oedd amheuon nad oedd yntau'n rhag-weld y dirywio: 'mae rhyw sŵn yn y gwynt, ond bu'r ffyddloniaid yn rhybudd rhag hyn,' meddai.

Erbyn 1936, teuluoedd Cae Esgob, Tŷ Mawn, Brithdir, Helfa Fawr a Hafod Lydan oedd yr unig rai ar lyfr eisteddleoedd y Capel, er o bosib fod eraill yn dal yn aelodau.

Erys un stori sydd, yn anffodus, yn cael ei chysylltu'n anghywir ag addoldai eraill o dro i dro, ond mewn oedfa yn Hebron y bu'r sgwrs ffraeth rhwng pregethwr y Sul a blaenor. Y digymar Anthropos oedd y pregethwr, ac mewn sgwrs ar derfyn oedfa gyda Dafydd Jones, ymddiheurodd y blaenor nad oedd y canu y Sul arbennig hwnnw cystal â'r safon arferol yn Hebron:

'Ond serch hynny, mae'n dda gen i ddweud nad oes cythraul canu yma chwaith, Mr Rowlands,' meddai Dafydd Jones yn ostyngedig iawn.

'Falla'n wir, Dafydd Jones,' atebodd Anthropos, 'ond tasa chi'n gofyn i mi, does 'na ddim cythraul fedar ganu yma chwaith.'

Beirniadaeth annisgwyl ac annheg oedd hon, o gofio enwogrwydd canu cynulleidfaol Hebron y dyddiau gynt.

Yn 1935 daeth gweinidog newydd i'r ofalaeth ac o bosib yn ei ddyfodiad ef fe gafwyd gŵr a uniaethodd ei hun â thirwedd y Cwm a'r bobl ac arferion y gymdogaeth. Y Parchedig R. Bryn Williams oedd hwnnw, ac yn ystod ei arhosiad fel gweinidog y Capel Coch a Hebron hyd 1944, nid oedd ball ar ei edmygedd o'r ardal a'i phobl.

Un a roddodd wasanaeth clodwiw i'r capel yn y cyfnod hwn oedd Henry Charles Williams, Llwyn Celyn. Bu'n flaenor ac organydd y capel am ddeugain mlynedd hynod o selog, wedi cychwyn gyda'r 'harmonium' pan oedd yn ddeg oed. Clywais stori am ryw bregethwr neu'i gilydd yn pitïo Henry Charles am nad oedd wedi derbyn gwersi ffurfiol fel organydd:

'Pa emyn fasach chi'n hoffi i mi roi allan, yna fe gewch chi ddewis y dôn?' gofynnodd y pregethwr iddo un Sul.

'Peidiwch â phoeni,' meddai Henry Charles yn ôl, 'dewiswch chi'r emyn, mi fydda inna'n siŵr o gael y dôn.'

Mae'n wir fod anifeiliaid wedi dod i mewn i ganol ambell oedfa'r pnawn yn yr haf pan fyddai drws y capel ar agor. Unwaith, yn ôl y sôn, daeth ceffyl Cae Newydd drwy'r drws ac er ymdrechion glew i'w fagio allan, methu fu'r ymdrech a'r unig ffordd i'w gael allan oedd ei dywys i lawr i'r Sêt Fawr a'i droi rownd yn y fan honno!

Yn ystod 1942 – ynghanol y rhyfel – roedd gwir angen peintio Capel Hebron a rhoi llechen neu ddwy yn ôl ar y to. Roedd milwyr, neu'r 'Commandos' fel y'i gelwid, yn arfer saethu'n ddyddiol yn y cwm, yn amlach na pheidio i gyfeiriad Tynyraelgarth. Heb fod ymhell o'r Rali fe safai murddun, a phenderfynodd y Fyddin anelu bom mortar tuag ato i ganfod pa effaith a gâi hynny. Yn ddigon naturiol, pan ddigwyddodd hynny fe chwythwyd yr hen furddun i ebargofiant. Yn y man daeth yr wybodaeth am falurio eiddo'r Faenol i glustiau asiant y stad, Mr Chadwick, ac anelodd yntau ei gamau cyn gynted ag y medrai am Gwm Brwynog. Ond yn gyntaf galwodd yn Llwyn Celyn i gael gair gyda Henry Charles gan ofyn iddo ddod gydag ef i weld y llanastr a honnid. Wedi gweld y difrod, dywedodd Mr Chadwick y byddai'n ofynnol i'r Fyddin dalu iawndal i'r stad am ei gweithred ddinistriol. Wedi cyfnod o drafod gyda'r Fyddin, galwodd yr asiant eto yn Llwyn Celyn gan ofyn i Henry Charles am ei gefnogaeth i gais y Faenol am iawndal i drwsio beth oedd ynghynt yn ddim ond murddun.

Cytunodd yntau i wneud hynny ar yr amod fod Stad y Faenol yn rhoi llechi newydd ar ran o do Capel Hebron, ac yn rhoi cyflenwad o baent yn ogystal. Cytunodd Chadwick i hynny, ac yn sgil awgrym diplomataidd Henry Charles Williams cafodd yr addoldy ei addurno a'i drwsio yn ddi-gost a didramgwydd!

Ar Ddydd Diolchgarwch 1944 cyflwynwyd rhodd i R. Bryn Williams fel gwerthfawrogiad o'i wasanaeth diflino fel bugail. Fe'i dilynwyd gan y Parchedig J. Alwyn Parry, yr olaf o chwe gweinidog y capel bach.

Nid oes amheuaeth fod Gwaun Cwm Brwynog yn agos iawn at galon y Prifardd R. Bryn Williams, fel y dengys cynnwys Adroddiad Blynyddol Hebron yn 1945, ac yntau erbyn hynny wedi symud i fyw i Ruthun:

Un o fannau anwylaf y ddaear i mi bellach fydd Gwaun Cwm Brwynog. Dringais ei lethrau a chrwydrais ei lwybrau ceinion am dros wyth mlynedd a daeth balm i'm henaid lawer tro o'i dawelwch a'i ymneilltuaeth. Oedais lawer ar ei ucheldir, y lloer yn taenu ei arian trosto, bref defaid gerllaw, a'i awel ysgafn yn cludo dwndwr yr Afon Goch o'r ceunant pell ar fy nghlyw. Oedais droeon ar ganllaw Pont Hwch ar ddydd o haf a'r heulwen yn bedyddio'r llethrau moel. Dringais drwy'r storm rai troeon, honno yn gwisgo'r Wyddfa yn ei gwyn.

Hen gwm annwyl, diolch am gyfoeth dy hedd. Diolch hefyd am groeso Cymraeg eich aelwydydd ac am addoli syml yn Hebron. Bychan oedd ein rhif, dim ond rhyw ugain, ond yr oedd yno Gymdeithas gref. Ni fedrwyd cynnal ond ychydig o gyfarfodydd, ac ni ddigwyddodd llawer o bethau pwysig yn ystod y cyfnod, ond yr oedd yno eglwys i Grist. Mae i'r eglwys ei thraddodiad gwych ond daeth dyddiau yr encil chwith. Beth am y dyfodol tybed?

A boblogir y cwm eilwaith? Os digwydd hynny bydd yma addoldy yn disgwyl.

Oni ddaw'r bobl yn ôl i'r cwm, efallai y daw eglwys Hebron i derfyn ei hoes wedi cyflawni ei chenhadaeth. Diolch i chwi sydd yn weddill am eich ffyddlondeb a'ch aberth ynglŷn â'r capel bach. Efallai y caf innau ddod eto ryw Sul yn yr haf i ddringo'r llethrau a phregethu drwy'r dydd yn Hebron yng Ngwaun Cwm Brwynog.

Cofion cynnes atoch a bendith deufyd arnoch . . .

R. Bryn Williams

Nos Lun, Gorffennaf 7 1958 cynhaliwyd Cyfarfod Datgorffori'r eglwys ar lethrau'r Wyddfa. Yr oedd yn hwyrddydd hynod o braf a nifer dda o'r aelodau a chyn-aelodau wedi ymgynnull. Yn anffodus roedd allwedd y capel ar goll ac o'r herwydd bu raid cynnal y cyfarfod yn yr awyr agored y tu allan i'r capel. Yr emyn olaf a ganwyd gan gynulleidfa Hebron – y gynulleidfa oedd wedi ennill bri ac edmygedd dros y blynyddoedd oherwydd y canu cynulleidfaol – oedd emyn William Williams, Pantycelyn:

Pam y caiff bwystfilod rheibus
Dorri'r egin mân i lawr?

Wedi 93 o flynyddoedd yr oedd hen gymdeithas Gymreig, glòs a gwerinol Gwaun Cwm Brwynog yn deilchion.

Ym mis Gorffennaf 1968, rhoddwyd Stad y Faenol ar werth mewn ocsiwn gyhoeddus yng Nghaernarfon. Ymysg llu o fân ddaliadau a ddisgrifiwyd yn y catalog yr oedd y canlynol:

Lot No 125
Substantial stone and slate building formerly the Capel Hebron and ideal for a Climbing Hut or Bunk House . . .

Dyna swm a sylwedd aberth drud hen deuluoedd 'Tu Ucha'r Giât', ac mae'r fath ddisgrifiad yn dal i beri poen dirdynnol. Fe'i gwerthwyd ynghyd â'r Tŷ Capel am y swm o £475 i rhyw ŵr o gyffiniau Birmingham na roddodd ei droed yno na chynt nac wedi hynny!

Saif ei gragen yn chwaraele i'r gwynt a'r glaw a'r eira ac, o dro i dro, bydd yn deffro chwilfrydedd un neu ddau ar y trên wrth fynd heibio tua chopa'r Wyddfa.

Ond erys cerdd y Prifardd Bryn Williams, a chyflwyniad hynod Hogia'r Wyddfa ohoni, yn gofeb i gymdeithas a chymeriadau dihalog y cwm cyfareddol hwn.

> Yna daeth dyddiau yr encil chwith
> O esgair yr Wyddfa a'i moelni brith,
> A rhai o'th hynafiaid yn mudo'n ffôl
> I fyw'n foethusach yng Nghoed y Ddôl;
> A thruan a gwag y bythynnod plaen
> Rali a'r Helfa, Bryn Coch, Adwy'r Waen,
> Er hyn ceid llawer oedfa wlithog
> Yng Ngwauncwmbrwynog.
>
> Heddiw di-hedd yw'r llethrau hyn,
> Daw sŵn ergydion o fryn i fryn,
> Mor anodd gweddïo a moli Duw
> A rhu'r magnelau ar ein clyw,
> Meddiannu'r mynyddoedd mae estron wŷr,
> A'u troi'n chwaraele i'w harfau dur,
> Daeth coleg angau a byddin arfog
> I Wauncwmbrwynog.

Ac wrth dy gyflwyno i Fab y Saer
Ac erfyn drosot, holaf yn daer,
Beth a fyddi di, fy maban gwyn
Wedi tyfu'n fawr ar y llethrau hyn?
Ai bugail defaid fel dy dad
A'r mynydd tawel iti'n stad,
Ynte disgybl angau yn creu hafog
Yng Ngwauncwmbrwynog?

Bellach, mae 'pobol tu ucha'r giât' wedi mynd, gan gau'r giât yn glep ar eu hôl.

LLYFRYDDIAETH

'Hynafiaethau Plwyf Llanberis', William Williams, Bod y Gôf.
'Llanberis a'i Phobl', Parchedig Tecwyn Parry.
'Y Chwarel a'i Phobl', Parchedig H. D. Hughes.
'Cofiant T. J. Wheldon', D. D. Williams.
'Hanes Methodistiaeth Arfon', William Hobley.
Yr Herald Cymraeg.
Y Genedl.
Caernarvon & Denbigh Herald.